*Las ausencias
presentes*

Las ausencias presentes

José
Woldenberg

cal y arena

Primera edición: *Cal y Arena*, febrero de 1992.
Segunda edición: *Cal y Arena*, septiembre de 1992.

Diseño de la maqueta: *José González Veites*.
Portada: *Rodrigo García Abreu*
Ilustración: Marc Chagall, *Collage*, 1921.

© José Woldenberg.
© Aguilar, León y Cal Editores, S.A. de C.V.
Mazatlán 119, Col. Condesa. Delegación Cuauhtémoc.
06140 México, D.F. Tel.: 256-50-56

ISBN: 968-493-228-6

IMPRESO EN MEXICO

para Laura,
nieta y bisnieta
de emigrantes.

I

No hay recuerdo inocente.
Edmond Jabès

1

E se día caminaba tranquilamente pensando en la corbata del señor presidente. Era una imagen desconcertante. No había sido fácil conocer —o pensar que conocía— al país, y ahora una de sus caras se me aparecía retocada, artificialmente dócil y apacible como si alguien con un simple artificio me quisiera dar gato por liebre.

El volcán que siempre sentí bajo los pies no podía representarse con la suavidad que ahora emanaba del Primer Jefe. Parecía como si alguien —burlándose de nosotros— avisara de pronto que la violencia latente era sólo fruto de la imaginación, como si no supiéramos de los enormes diques, presas y tuberías que se habían construido sólo para contenerla y orientarla.

Le insisto, caminaba tranquilamente. Me gusta aspirar con fuerza el aire, hacer crecer los pulmones y expulsar por la boca la respiración contenida. Observaba el paso de la gente con sus prisas. Usted sabe, rídiculas prisas, pero prisas al fin. Pero a diferencia de otras ocasiones no podía olvidar la corbata que me producía una leve sonrisa.

La fotografía del periódico era inequívoca. Ahí estaba. Un hombre de edad madura, respetable —esa edad que impone reverencia más allá de afinidades de otro tipo—, con su traje impecable, en el momento en que va a dar un sorbo al café y con un movimiento de los ojos que en ese instante le impide llevarse la taza a los labios. Pero sobre todo destaca una corbata de moño.

¡Una corbata de moño! Piénselo por favor, una corbata de moño, quizá gris, quizá azul, quizá negra, pero ¿una corbata de moño?

Mire, a mí me tocó detenerme a ver otras fotografías. Me acuerdo ahora de una en particular. Sus cejas, enormes, están pintadas. La derecha parece partida en dos. El ojo izquierdo cerrado, tumefacto. El derecho entreabierto pero con la mirada ida como observando la nada. La boca es una mueca donde asoman separados —a lo mejor quebrados— algunos dientes. El lado derecho del rostro se encuentra hundido, raspado. No es la cara sino la mascarilla del general Francisco Serrano. Y ahora, le digo, ¡un presidente con corbata de moño!

Usted sabe que no me cuezo al primer hervor. Llegué a Veracruz en 1922. Bueno, pues cierto día descansaba en mi pequeño cuarto en una vecindad cercana al centro. Escucho un barullo que proviene del exterior, y la curiosidad, esa madre de vicios y descubrimientos, me impulsa a asomarme. Propios y extraños, es decir, los demás inquilinos y una tropa de hombres, mujeres y niños, imposible de clasificar, se arremolinan en el patio y escuchan a un hombre tuerto, pero con un ojo sano y fuerte. El hombre gesticula y arenga a los escuchas. No entiendo nada, solamente que el tuerto es una especie de imán que atrae a sus oyentes con esa potencia que sólo se desprende del fanatismo que anuncia violencia. Musculoso, barbado, enfático, el tuerto está rodeado de cinco o seis prostitutas. Los oyentes dejan de serlo cuando el tuerto les lanza alguna pregunta, y entonces contestan ¡Si! o ¡No! Por momentos el acto parece una fiesta, pero al rato da la impresión de un adoctrinamiento militar. Tan pronto la gente ríe, grita, aplaude, como guarda un silencio eléctrico en donde sólo retumban las palabras del hombre iracundo.

El discurso se alarga, pero el entusiasmo no decae. Yo, mientras tanto, continúo observando desde el segundo piso, recargado en el barandal. Por un momento las miradas del tuerto y la mía se cruzan —sólo por un momento— y me siento cohibido, atemorizado. No le puedo explicar por qué. Fue sólo un segundo, y como si nada hubiera sucedido la catarata de palabras siguió llenando todo el patio.

Al final el remolino sale a la calle cantando. Lo encabezan el tuerto barbado y las prostitutas, y sin duda se trata de una festividad. El colorido, la alegría, las risas, no pueden ser sino las de una fiesta. Me animo a bajar para ver un cartel que el tumulto dejó pegado en la puerta, pero no puedo descifrar lo que dice. Subo a mi cuarto para buscar a mi familia y encuentro que en mi puerta, al igual que en todas las demás, han pegado un pequeño rectángulo de papel. Tampoco entiendo de qué se trata.

Al día siguiente, un amigo me tradujo el letrero pegado sobre la puerta. Decía: "¡Estoy en huelga no pago renta! Sólo reconozco al Sindicato Revolucionario de Inquilinos y a nuestro representante Herón Proal facultado por el pueblo...!"

La impresión fue tan grande que las siguientes noches no pude dormir: se me aparece un ojo que me mira, me acosa, me persigue. Intento despertar y no puedo. Trato de escapar pero el ojo siempre está a la misma distancia. Volteo y cae su peso sobre mi espalda. Lo veo de sesgo y me mutila el perfil de la cara. De frente resulta insoportable. Me ahogo, manoteo. Pero el ojo me mira impasible. Me falta el aire, pido clemencia, pero la única respuesta es un parpadeo del ojo que da paso a una voz pálida que susurra un canto: "Abandonemos obreros/las fábricas y minas / campos y talleres / y la navegación. / Abandonemos el trabajo / que enriquece a los vagos / y hagamos los esclavos / la Revolución".

Bueno, creo que la canción la aprendí después, porque lo que le cuento sucedió en los primeros días de mi vida en México, cuando no entendía una sola palabra del español. Pero, ¿se da cuenta de lo que quiero indicarle al platicar de la sonrisa nerviosa que me provoca la corbata de moño del señor presidente?

2

Más o menos de esa manera empecé a contar la historia a una muchacha que un buen día se presentó a mi casa, muy seria, muy correcta, a plantearme un proyecto que, según ella, una institución solvente se traía entre manos. Por el nombre se trataba de una dependencia del gobierno o de una universidad: ¿a quién más se le puede ocurrir algo tan descabellado? El asunto resumido era más o menos así: yo tenía que contarle mi historia, ella haría algunas preguntas y grabaría nuestras conversaciones. Inmediatamente le respondí que me parecía una locura, porque imagínese que la gente se pasara entrevistando a otra gente sobre sus muy particulares historias, como si fueran importantes, como si tuvieran algún sentido; acabaríamos por agregar confusión a la confusión. Pero ella insistió. Precisamente se trataba de integrar una historia a través de testimonios de emigrantes a México. La idea era formar un archivo de la palabra. Y fue la resonancia de esa conjunción, archivo y palabra, lo que me sedujo. Pretender archivar algo tan volátil, frágil e impreciso, como la palabra, era uno más de los proyectos disparatados con los que mi destino se había topado.

Cuando acepté, la muchacha me quiso impresionar con un discurso donde las palabras ciencia, método, objetividad, se multiplicaban ominosamente. ¡Venirme con eso! Yo que no creo en los médicos, que nunca he acudido a consultar a uno. ¿Qué saben esos hombres impostados de las quejas y reclamos del cuerpo?, ¿qué pueden hacer con sus aparatejos y operaciones, sus recetas e inyecciones, sobre algo que no les pertenece? Déjeme decirle algo: hay que tener cuentas claras que entregar a El... y cuidarse del mal de ojo; lo demás, la vida y la muerte, sólo a El pertenecen.

El culto al saber me irrita. Entre saber y creer no dudo. Lo primero siempre es expresión de vanidad, lo segundo, creer, es sinónimo de piedad y modestia. ¿Cómo se puede tener la certeza de saber? Lo único cierto es la fe. Yo creo y dejo que otros digan que saben. De todas formas no me impresionan. Mire, deje que le comente: he leído una y mil veces el mismo texto, todos los días de mi vida, ¿y sabe?, de repente gozo cuando encuentro sobre ese texto alguna explicación notable, imaginativa. Esa rutina me la inculcaron en el *jeder*, la escuela de mi infancia, y es parte de mi vida.

Bueno, acepté también porque la muchacha me cayó bien. Parecía realmente interesada, hablaba con corrección, y además yo tenía tiempo. Entonces se me ocurrió que el relato debía iniciarlo el día del asalto. Era muy reciente, pero de mi monótona vida no encontraba un mejor episodio para empezar.

3

La entrevista sin embargo no corría. No era fácil. No se trataba de hablar por hablar. Lo que ella quería ya se encontraba en los libros y lo que a mí se me antojaba contar, el asalto de ese día, a ella no le parecía interesante. Por ejemplo, ella deseaba saber de las dificultades de los emigrantes para adaptarse al país. Que si la lengua, que si la comida, que si las costumbres. Yo me desesperaba. En una ocasión me levanté y le puse un libro enfrente. Mire, aquí está lo que usted quiere. Lea. Y punto. Se me quedó viendo fijamente como diciendo "viejo loco", pero la verdad es que no habló. Se quedó muda, sólo mirándome, se notaba que era una muchacha bien educada.

Entonces tomé el libro y empecé a leer: "Martita ha nacido en la Argentina. ¡Oh, qué feliz sería ella, si también sus padres hubiesen nacido en la Argentina!". Sabe —le dije— se trata de un cuento de José Rabinovich; y cerré el libro. Usted lee la primera frase y ya sabe el desenlace. El final será melodramático. ¿Y cree que tengo humor para agregar preocupaciones impresas a las preocupaciones reales de la vida? ¿Sabe lo que es ser padre —y madre— con un español defectuoso, con el desconocimiento de las cuestiones que hasta el último de los analfabetas sabe, con preguntas constantes para las cuales se carece de respuesta? De repente se aparece la hija menor preguntando por Morelos, la otra pide ayuda para identificar los ríos, mientras el mayor ni por asomo solicita auxilio. Sabe de antemano, luego de fracaso tras fracaso, que por sí solo deberá resolver si una palabra se escribe con ese o con ce o si Tuxtla Gutiérrez es capital de Chiapas o Campeche.

Ya me contagió el melodramático de Rabinovich y eso que apenas olí el libro. ¿Sabe cómo me decían en aquella vecindad de Veracruz? Es para morirse de risa, como si las cosas no tuvieran pies ni cabeza, como si el mundo fuera una pelotita loca, como si los colores cambiaran según quien los estuviera observando. Me decían El Ruso. ¿Puede imaginarlo y al mismo tiempo no reírse? Es como si la noche y el día pudieran intercambiarse, como si nada estuviera en su lugar y como si arriba y abajo fueran simple y sencillamente una mentira. Cuando me enteré de aquel apodo, palidecí, los ojos se me salían de las órbitas, pero luego no pude más que explotar con una carcajada. ¡El Ruso!

Pues sépalo: ese Ruso caminaba hace apenas unos años hacia su trabajo, sin pensar siquiera que ese día sería asaltado. Y esa historia sí que vale la pena.

Era un día luminoso como sólo los he conocido aquí. Eso no es poca cosa ni una cuestión menor. La verdad es que lo primero que me llamó la atención de México fue su luminosidad. Ese brillo sólo lo había resentido en el barco, pero pensé que sólo en el mar existía. Sin embargo, al desembarcar nada me perturbó tanto como este cielo azul que se filtra por todos los resquicios haciéndolos relucir.

Fue esa luminosidad la que acabó por desterrar mi antiguo atuendo. Nada contrastaba más con mi viejo y raído abrigo negro, mi pantalón negro, mi sombrero negro y mis zapatos negros que esa luz resplandeciente. Al descender la rampa que me trasplantaba a ese puerto entonces impronunciable, tenía con claridad tres preocupaciones: mi hijo, mi mujer y mi samovar. En ese orden.

También, debo decirle, me acompañaba un confuso sentimiento que a falta de mejor nombre suele llamársele inseguridad. Pero era natural: del pasado tenía una clara idea y el futuro no existía aún.

Eso le contaba yo, y ella inmediatamente preguntaba: que si no había deseado volver, que si desde un inicio me decidí por México, que si los Estados Unidos...

Bueno, bueno, nunca pensé en volver. Tal vez en ese pequeñísimo instante de la llegada cuando la utopía se convirtió en un remolino de imágenes sin concierto, que me arrojaron a la cara mi absoluta extranjería.

Con el tiempo el episodio acabó por provocarme risa. A fin de cuentas el tiempo siempre es el verdadero personaje de una historia. Pero en el momento que sucedió estuve a punto de llorar. De pronto me encontré en una aduana con pisos y techo de madera y un oficial que primero me habló, luego gesticuló y acabó gritándome. Yo, por mi parte, sostenía el samovar y detrás mi mujer cargaba al niño. Dije dos o tres palabras en idish. Supe de inmediato que se trataba de un diálogo entre un pato y un pájaro. Masculló algunas de las fórmulas que conocía del polaco y fue entonces como una discusión entre una locomotora y el trueno. Me quedé petrificado.

A veces el episodio me ha parecido tan largo como una travesía en el mar, pero a veces, me parece tan frágil como un suspiro. Todo finalizó cuando a espaldas del guardia aduanal apareció un hombre que le habló a él en su idioma y a mí en el mío. Ese hombre fue mi primer amigo en México. Creo que de puro agradecimiento me establecí durante varios años en Veracruz para ayudar a desembarcar y establecerse a otros emigrantes. Era una forma de pagar la deuda.

Pero después, la puerta ancha del nuevo hogar me ofreció múltiples veredas para sentar raíces. ¿Qué frase, verdad?, pero es cierto. Mire, ni el horizonte, ni el país, ni la lengua, ni su forma de gobierno, habían sido mías. Así que la nostalgia no pudo conmigo, no pudo anidar, perdió. Añoré padres, hermanos, ciertos olores fuertes y colores opacos, algunas miradas que me conmovían y comentarios que ya no escuché más. De vez en cuando me visitaban. Entonces comparaba el pasado y el presente, y si bien éste no parecía la tierra prometida, estaba seguro que aquello no había sido el paraíso perdido.

¿Cómo podía serlo? Si la estampa que me impulsó a dejar aquello la tengo grabada como en bajorelieve. Nunca supe siquiera lo que sucedió antes. ¿Los gritos, casi aullidos, o la lengua de llamas y humo que inundaba el cielo? Corrí como nunca antes lo había hecho y como nunca jamás, por fortuna, he tenido necesidad de hacerlo. Detrás, mi mujer cargando al niño, hasta que nos desplomamos en el campo, y entonces contemplamos el fuego iluminando el paisaje. Hasta nosotros llegaron las quejas, las súplicas, los chillidos, confundidos entre los ecos de los derrumbes, los golpes, las carcajadas, los cascos de los caballos. Todo se desplomaba. No sólo las puertas y las ventanas, los roperos y las copas, sino el mundo y su orden, la fe y la resignación.

Con el día llegó la luz, el silencio y el llanto. Volvimos paso a paso, sin decir palabra, sólo para contemplar el infierno. Casas destripadas, hombres desencajados, mujeres clamando al cielo, objetos regados al azar como si los hubieran vomitado desde una nube, y sobre todo —imponiéndose de manera contundente— la sinagoga que ardía. La voz lejana, la palabra rusa, la alusión que hacía acordarse de El, la plaga incomprensible, el *pogrom,* había llegado con su cauda de locura y destrucción.

18

4

Ahora que se lo cuento, recuerdo que mi primera entrevistadora, esa encantadora niña, me dijo: —Usted está marcado por las persecuciones; y yo de inmediato le respondí:— No, esas son cosas del pasado; —¡Qué va!, me contestó. Y a la siguiente sesión me entregó una serie de transcripciones de nuestras pláticas.

a) Entré a la Escuela de Medicina. Su patio era agradable y fresco. Las puertas se alineaban como vagones de ferrocarril y el blanco era el color predominante en el vestido. Caminé por los pasillos, me asomé a algunos salones y a la biblioteca. No existía rastro alguno. Como si el edificio se hubiera cubierto de nuevos ropajes, maquillado, y de pronto apareciera ante un mundo amnésico. En efecto, era la Escuela de Medicina.

Ellos hubiesen dicho: por comer carne en viernes santo, por matar a las gallinas por el espinazo, por hablar con la pared, por ayunar, por tener la sangre contaminada, por leer libros prohibidos, en este mismo edificio fue preciso confinarlos. Secuestrados, torturados, despojados de sus bienes, enviados a las galeras y a la hoguera. Todo ello, por haber seguido la "ley muerta de Moisés". Y ahora, en el mismo lugar se estudiaba medicina. Es una historia remota y nebulosa, pero cierta. Deje que le lea un poema de Kalonymus ben Yehuda, escrito en el siglo XI a la memoria de los mártires de la región del Rhin:

Sí, nos han muerto y herido,
vejan nuestras almas con llagas espantosas;
Tanto más cerca nos mantenemos, Señor,
de Tu Palabra eterna.
Ni una sola línea de toda su Misa
pasará nuestros labios en homenaje;
aunque maldigan y aten y maten

el Dios Vivo está aún con nosotros.
Aún somos Tuyos, aunque los miembros estén desgarrados;
mejor la muerte que la vida de un perjuro.
De los labios moribundos suben los acentos
"Tu Dios, oh Israel, uno es";
y el desposado responde a la desposada,
"El Señor es Dios y no hay otro junto a El",
y unidos con los lazos de la fe más santa,
pasan a la vida eterna a través de la muerte.

b) El día estaba nublado como si algo presintiera. De todas formas salí al parque. Me senté en una banca como de costumbre y
abrí el periódico. Pasé la vista por sus páginas sin interés alguno,
entre declaraciones vacías, chismes insulsos y algunos resultados
deportivos. Sin embargo, un pequeño recuadro se transformó en
un eco distante e inasible, pero con resonancias intranquilizantes.
Era esa sensación apagada que de nuevo tomaba asiento y me
cogía de la mano. A base de no frecuentarla me había parecido
muerta, pero ahora reaparecía entre brumas. Su sonido no era es-
tentóreo como en el pasado y su volumen resultaba tan lánguido
que apenas flotaba, porque no tenía las cualidades para poner los
pies en la tierra. Pero la ansiedad estaba ahí, en la boca del
estómago, y si bien podía jugar con ella, su vuelta a escena me
pareció un mal presagio. Cuando el pasado vuelve a revelar alguna de sus infamias, por el cauce que sea, siempre me parece un
anuncio para lo peor. Y aquello, vuelto a nacer en la pequeña nota
de un diario, me oprimió al grado que la tranquilidad gris del día
desapareció por encanto. No recuerdo el día, pero era 1935, y de
pasada leí que Alfred Dreyfus, un oficial judío del Estado Mayor
francés, había muerto. Lo pensaba muerto —y bien enterrado—
desde hacía décadas. ¿Qué pretendía ahora volviendo al mundo?,
¿qué significado tenía la resurrección y muerte en un solo día de
aquel símbolo de la persecución y el acoso? Las noticias de Alemania y ese destello en la prensa no podían ser sino el preludio de
la angustia que durante tantos años, en la nueva casa, se había de-
colorado. Ahora regresaba en forma leve pero preocupante. Lo

nublado del día también era un signo, un llamado de atención.

c) Berl Marcushamer, amigo de infancia y juventud. Sus ojos eran azules, casi transparentes, el pelo abultado y rizado le enmarcaba la cara como a un león; era alto, flaco, débil, apocado, pero se le distinguía porque de cuando en cuando emitía una opinión singular, como si la hubiese estado amasando largo tiempo hasta quedar sintetizada en una frase punzante.

Por esas frases que entregaba alguna tarde y por el conocimiento diario, primero en los patios de las vecindades, luego en la escuela, en el trabajo, la amistad hizo sus nudos decisivos.

Berl era un ser contemplativo, piadoso, resignado y agudo. Su sentido trágico de la vida le impulsaba a rehuir la acción, puesto que ningún esfuerzo humano podía contradecir la voluntad divina. Sin embargo, una cuerda tensa en su personalidad lo llevaba, de vez en vez, a cruzar ideas contrapuestas, jugar con posibilidades heréticas, modificar el sentido de una norma. Así, cuando la cuerda se rompía, de repente y sin modificar sus maneras y su lenta cadencia al hablar, soltaba una de esas frases que eran como hielo y cuchillo.

Cuando nos despedimos de manera definitiva, porque Berl se negaba a emigrar, "ya que nadie puede ni debe rebelarse contra su destino", nos dimos un prolongado y fuerte abrazo en silencio que solamente sirvió para precipitar algunas lágrimas.

No supe más de él sino veinticinco años después. Pero lo supe todo. Su matrimonio, sus hijos, sus trabajos y su muerte. Y de todo lo que me contaron solamente quedó grabada su muerte.

El y su familia se negaron a salir a la calle. Se sentaron alrededor de la mesa, mientras las bocinas gritaban que todos se formaran con algunas pertenencias en la calle. En unos minutos todo fue ruidos, carreras, alaridos, pero en la casa de Berl nadie hizo caso, ninguno se movió de su lugar.

En pequeños grupos —tres o cuatro soldados— la tropa empezó a revisar casa por casa. Saqueaban algunos objetos pequeños y de valor; un reloj, unos arillos para los lentes, algún prendedor. Cuando entraron por Berl lo conminaron a salir con toda su familia. El se negó. Por un momento los soldados no supieron qué hacer, pero al instante siguiente, elevando la voz, subrayando el tono imperativo y jalando por los cabellos a una de las hijas, demostraron —como si hiciera falta— que no se trataba de un juego.

Berl, en forma pausada sacó un cuchillo de cocina escondido entre sus ropas, y antes de que lograra levantarse ya había sido acribillado, junto con su familia. Quienes lo conocieron, sabían que se trató más de un suicidio que de un acto de resistencia. Una forma de bien morir, "para evitar", como solía decir Berl en sus momentos de rebeldía, "que una vez más se hiciera su voluntad".

Sin embargo, debo decirle algo: afortunado Berl que por lo menos sigue existiendo en la memoria de un amigo eterno que deambula por las calles de México. Porque la muerte anónima, en masa, industrializada, donde no quedan rastros ni huellas, la de las hermanas y hermanos, tíos y conocidos, sin tumba ni lugar preciso de muerte, dejan un sentimiento sin asideros, que impide llorar en singular por cada una de las muertes perpetradas.

Cada hombre, cada mujer, cada niño, debería tener por lo menos la posibilidad de que alguien lo recordara algunos años. Esa posibilidad es el lazo entre la vida y la muerte, y si se rompe, como ha sucedido, el sentido de una y otra se pierde.

5

¿Qué le parece la dulce niña? Me tiró de la lengua. Yo hablé y hablé y ella grabando, grabando. Y luego me entrega esos textos. No —le digo—, ese no soy yo. Parezco derrotado, triste, perseguido, inseguro, y ¡qué va! Pero si usted busca y busca por un lado, acaba encontrando lo que quiere. Y ella lo encontró. Acabará escribiendo la historia convencional de un emigrante judío en México, tal y como ella quiere e imagina. Me preguntó sobre los *pogroms*, Hitler y su infamia, y por ahí nos fuimos. No se le ocurría preguntarme sobre las películas que veo, la música que me gusta, los paseos que suelo dar con mi familia, todas las cosas que realmente arman una vida y no una pasión o una novela ejemplar.

Como botón de muestra, soy un glotón. Y en México descubrí manjares que nunca hubiera siquiera soñado. La carnosidad, el color deslavado y el sabor dulce del mamey; la claridad transparente, la acidez profunda y el aroma fosforescente de la piña; el jugo y el arcoiris de la sandía; lo agrio y reconfortante del limón; la voluptuosidad del durazno; la refrescante y perturbadora guayaba; el pleito con el níspero para arrancarle su escasa pulpa; los diversos tonos y la sinfonía de las ciruelas; el acto carnal de morder el mango; la suavidad y ligereza de la papaya; el poder reanimante del melón. La verdad es que, descubrimiento tras descubrimiento, modifiqué mis gustos, e incluso la imagen del paraíso se complementó con colores más vivos, aromas más sugerentes y sabores dignos del cielo.

Pero no, a ella le interesaba lo espectacular, lo que forja las epopeyas colectivas. Para eso existen los libros de historia, insípidos, monumentales, demagógicos. ¿Sabe lo que significó para mí entrar a un mercado? Encontrar de pronto un escenario enfático, total, abrumador, con sus colores, fragancias, sonidos y movimientos. Afuera y dentro eran dos mundos absolutamente separados. En el mercado las voces resultaban ondulantes y los gritos relámpagos rotundos. Las emanaciones desbordadas y antagónicas. Los tintes hipnóticos y descabellados y la circulación como una danza necia en forma de remolino. Palpar el pescado o el aguacate, oler las flores, las especias, los chiles. Observar las pilas de jitomate, los costales de calabaza, las cajas de cebollas, las bolsas de frutas. E imaginarse ahí, sin gente, solo, ensimismado, como Adán en el paraíso.

Ahora que se nos aparece Adán, recuerdo que alguna vez imaginé un cuento que por supuesto nunca escribí. Era más o menos así: "Y aquel día Adán se sintió carente de pasado. Nada humano existía a sus espaldas. La acción del hombre (él) durante la Creación había sido nula. Decidió entonces crear a Dios. Pudo en aquel momento empezar el relato de la Creación: Sobre el Caos y el Vacío, Dios abrió paso a la luz, en el segundo día creó el cielo, luego la tierra, el sol, la luna y las estrellas, después los peces y las aves, los animales, los reptiles y al hombre. En el séptimo día, descansó. Luego de un tiempo la historia le pareció a Adán plana y su secuencia previsible. Decidió cambiar el orden de aparición: primero la tierra y luego el cielo, primero el hombre y luego los animales…, pero por esa ruta se perdía en coherencia y sólo se ganaba en distracción. Fue necesario introducir semidioses, monstruos, dragones, decorar el escenario con rayos, sangre, terremotos, idear pasiones y venganzas, para dar paso a centenas de versiones de la historia, cual más fantástica y sugerente. Adán descubrió entonces el poder de la imaginación y se percató de que el pasado podía modelarse, según el gusto, en versiones infinitas. Exhausto y aburrido decidió marchar hacia adelante. Empezó a andar y presintió el futuro. Así, en el octavo día, se creó el tiempo". ¿Una herejía? No, sólo un juego. Y eso también lo aprendí en este maravilloso país.

A veces me pregunto si se puede cambiar de vestido, fisonomía, lengua, rutina, trabajo, paisaje, comida, y ser todavía el mismo. ¿Y sabe qué?, creo que sí. Algo en mí sigue inalterable. Desde pequeño, en el *jeder*, tomé conciencia de que una sombra me acompañaría a lo largo de la vida. Podía enfadarme por los caprichos de esa presencia, reclamarle airadamente, llorar por falta de comprensión, pero al final sé que sin Ella la existencia misma carece de sentido. El sentido del transcurrir sólo El lo conoce. Nunca dudé en serio. Mis rebeliones fueron efímeras y a sabiendas de que en el fondo eran más en la piel que en la sustancia. Muchos años después, cuando en mis manos cayó un libro de Joseph Roth, me estremecí al leer lo que siempre había intuido: "puedes ser castigado pero no abandonado".

Sobre el *jeder,* mi escuela elemental y fundamental, mucho se ha escrito. Y con razón. Ahí, al igual que decenas de genera-

24

ciones, fueron construidos mis cimientos, lo demás fue agregado circunstancial. Pero sobre eso, no creo que sea necesario hablar, le puedo recomendar lecturas al por mayor.

Pero no es cierto que no he cambiado. De hecho todo fue modificado. Hasta los nombres. Shoul mutó y se convirtió en Saúl, Moishe se disfrazó de Moisés, Iacov se volvió Jacobo, Rojl trocó por Raquel, Reisl evolucionó a Rosa. Martín sólo de muy lejos recordaba a Mordje, y Larry seguía siendo extraño sólo por no ser Leizer. Pero hubo quienes contra viento y marea nacieron Rajmiel o Shepsl y así se quedaron. Nombres y resonancias. Y si nombrar es aprehender, entrar en intimidad, forma para el acercamiento, las veleidades del lenguaje resultaron infinitas, sus laberintos inexpugnables y sus substitutos insípidos. Por eso, llamarse en la casa Shloimele y en la calle Salomón no era incongruencia, sino el fruto maduro de una imposición.

Deje que le cuente un típico chiste de emigrante judío. "Fue Moritz Wassershtrhal en Alemania, Maurice La Fontaine en Francia, Mauricio de la Fuente en México, cuando en su pueblo de origen no había sido más que Moishe Pisher". ¿Entiende? Wassershtral quiere decir chorro de agua, pero Pisher en idish significa meón. El cuento no es demasiado sutil, pero la mutación del nombre significa demasiadas cosas, la más obvia un cambio radical en la pirámide social. ¡Pero ya lo único que falta es que le empiece a explicar un chiste! Estas entrevistas me van a llevar muy lejos, me convertiré sin remedio en un merolico de lo sencillo y lo visible.

Quizá lo que más trabajo me costó fue desprenderme de la barba. Usted sabe, estamos obligados a no afeitarnos. Por ello, cuando me rasuré por primera vez no reconocí el rostro que aparecía en el espejo. Durante cinco o seis años no había tocado un pelo de la barba siquiera. Ahora ante el espejo, era más joven, pero también más temeroso. Tenía los ojos profundamente abiertos y un halo de incredulidad rodeaba la cabeza como si fuera nueva. Mi piel ardía y donde estuvo mi larga e hirsuta barba, no había más que un color rojizo que evocaba a los diablos. Recordé a mi padre y a mi abuelo, cerré los ojos para que las lágrimas no acudieran, impertinentes, en ese momento. Era un traidor. Pero había que seguir viviendo.

Rodeos similares me impedían llegar al día del asalto. Con interrupciones y preguntas, exclamaciones y pequeños apuntes, me sacaba de ruta. ¡Esa niña!, ese afán de entrometerse sin pudor, de querer saber, de querer conocer. Tuve que marcarle un alto y contarle una anécdota para ponerla en su lugar. Cuando era niño, ante el rabi me sentí pequeño e ignorante. No me atrevía a dirigirle la palabra, menos a preguntar. Su presencia infundía un respeto paralizador. Y es que la sabiduría es el único bien que no puede heredarse ni comprarse. En una ocasión, durante la clase, el rabi preguntó si alguien conocía a cierto viejo del pueblo. Sin tiempo para pensar la respuesta, contesté de inmediato que yo lo conocía: "es el que tiene un gran lunar en la cara". El rabi se me quedó viendo como si me quisiera traspasar y sin ninguna misericordia, para que se me grabara por el resto de mis días, sólo dijo: "tú en el mejor de los casos conoces el lunar... conocer a un hombre es otra cosa... por cierto, nunca tan sencilla".

¿Cree usted que la inhibí o que a partir de entonces moderó sus preguntas? No; por el contrario. Me confundía con Sholem Aleijem e insistía en que le contara más cuentos.

6

Caminaba —insisto— hacia el trabajo. Como siempre. Como toda mi vida. Vida y trabajo son lo mismo. Desde pequeño y hasta ahora el trabajo, por fortuna, siempre me ha acompañado. Pobres los que no tienen trabajo. Pobres en el doble sentido de la palabra. Ahora, mi trabajo no es como en el pasado.

Al llegar a México, mi primer trabajo fue de vendedor en una plaza. Me instalaba a pesar de un calor que derretía. Me arremangaba la camisa, abría una mesa de patas de tijera y sobre ella colocaba una canasta. Veía pasar a la gente pero no me atrevía a llamarla. Eran los paseantes quienes se asomaban a la canasta, observaban la mercancía y preguntaban por su precio. Un amigo, a crédito, me proporcionó corbatas, hojas de rasurar, navajas y flautas para niños. No se trataba de una gran constelación de productos, más bien era una mezcla extraña que servía para obtener los primeros ingresos regulares. Al principio estar en la plaza, ver a la gente pasar y con ello ganarme la vida, no me pareció nada mal. Era entretenido, mejoraba mi español y ganaba para comer. Pero así como el ocio es el padre de todos los vicios, la monotonía es la madre del aburrimiento. Y empecé a aburrirme. Me pareció absurdo mantenerme parado y esperando en la plaza. Era preferible ir hacia los potenciales compradores y si lograba diversificar la oferta, mejor. Poco a poco incluí vestidos, blusas, aretes, pantalones, camisas, a mi feria de baratijas. Y en bicicleta recorrí calles y toqué de puerta en puerta. Conozco la ciudad, sus barrios, cantinas, mercados. Además no existía aún la plaga de automóviles que convierte en suicida a cualquier ciclista. Entonces me explicaba un amigo: "si vendes a domicilio, lo importante es que el cliente deseé el artículo, no que lo pueda pagar de inmediato". Así, empiezo a vender en abonos. Me convierto en abonero. No se imagina la cantidad de paisanos que fuimos aboneros. Por montones. A lo mejor somos los inventores de la venta a crédito en el país. Alguien por aquel entonces solía ufanarse: "vender cuando el cliente desea el artículo y tiene dinero, carece por completo de mérito. Vender a quien desea la prenda y carece de recursos, requiere de confianza en la honradez. Pero vender cuando el amigo ni quiere ni tiene con qué pagar, ese es el verdadero arte del convencimiento... y para eso la palabra es crucial. Hay que aprender a hablar y a hablar bien".

Ahora, lejanos aquellos tiempos, tengo una tlapalería. ¡Qué gran invento! Es lo más parecido a mi vieja canasta pero multiplicada por mil. Todo cabe en una tlapalería. Cubetas, mangueras, clavos, tuercas, herramienta, jergas, papel, grapas, plumas, juguetes, botes, cuadernos, gomas, estampitas, metros, básculas, pilas, cuchillos, machetes, ligas, encendedores, folders, cartulinas, anilina, sacapuntas, llaveros, escuadras, apagadores, soquets, focos, cajas, carteras, marcos, velas, bacinicas, calentadores, lámparas. ¿Para qué sigo?

Pues bien, me gusta ir a la tlapalería caminando. Ese día, como todos los otros, compré el periódico, saludé a los vecinos y llegué al negocio. Se trata de una tlapalería pequeña, pero bien surtida. Hay que abrir hacia arriba su puerta corrugada —que apenas tiene dos candados—, y ante usted se descubre un aparador de fantasía: todo lo que necesita para el hogar, la escuela, el trabajo, ahí está. Entre un muchacho que me ayuda y yo, hacemos todo el trabajo: limpiar, acomodar, vender, cobrar, pagar, llamar a los proveedores, y sobre todo, platicar con los clientes. Por estos rumbos todos nos conocemos y el ambiente es agradable.

¿Desde cuándo la tengo? Déjeme ver. La compré a fines de 1941. No estaba tan bien surtida, pero imaginé que por su ubicación sería una buena empresa. Me acuerdo que casi al año de comprada, el 9 de diciembre de 1942 (la fecha no se me olvidará nunca) la tlapalería *El Sustento de Monterrey,* Nuevo León, cerró sus puertas. Sus clientes y algunos paseantes se encontraron con un inmenso cartel, pintado a mano, colgado sobre la puerta corrugada, que quizá los sacó de su rutina. A algunos les pareció curioso, otros no comprendieron nada, pero muchos se solidarizaron. Un día antes le ordené al empleado que entonces me ayudaba y que por supuesto no es el mismo que ahora trabaja aquí, que no tenía que presentarse. Esa mañana me levanté más temprano que nunca, desayuné de prisa y con mi hijo mayor y el cartel en la mano me dirigí a la tlapalería. Colgamos el anuncio, nos paramos junto a él y esperamos —no sin un cierto cosquilleo— a ver la reacción de la gente. Todo el día estuvimos frente a la tlapalería cerrada, con su puerta corrugada clausurada y el cartel bien visible. Todo el día recibimos comentarios y saludos de conocidos y desconocidos. No hubo una sola agresión como temimos. Al final, satisfechos, descolgamos el cartel y regresamos a casa. Fue una menuda colaboración en contra del horror. Por cierto, el cartel decía: "Paro de luto y de protesta en memoria de las víctimas de Hitler".

Recordar esa época me enferma. No se me antoja hablar con usted de ese tema y sin embargo, no lo puedo olvidar. Es como una canastilla en la rueda de la fortuna que gira y gira pero siempre vuelve a su lugar. El tiempo pasa y una pregunta se mantiene clavada: ¿es posible olvidar el Holocausto? Y aunque sé que tiempo y memoria son antagonistas desiguales, y que el primero en forma rutinaria acaba con la segunda, mi respuesta personal, profunda, si quiere visceral, es un rotundo no.

No se nos persiguió por lo que hacíamos, pensábamos o proponíamos. Ni ideas políticas ni prácticas sociales ni movimientos ideológicos fueron perseguidos cuando se aniquilaban judíos. Se nos arrasaba por el hecho de ser, de existir, de ocupar un espacio, y eso imprime un suplemento de horror particular a la acción de los verdugos. Por eso la consigna "no olvidar, no perdonar" me parece justa. No olvidar como compromiso ético; no perdonar, porque el tiempo no puede convertirse en atenuante de un crimen premeditado, alevoso, pero sobre todo, inasible. ¿Cómo explicarlo? ¿Por qué sucedió? Son preguntas sin respuestas. La magnitud sobrehumana de la barbarie me remite a El, aunque tampoco encuentro siquiera un esbozo de luz. El exterminio planificado, la degradación reiterada, lo infrahumano como norma, tomaron asiento y eso sólo puede seguir arrojando pus a la memoria.

Alguna vez, Rabí Leví Itzjac de Berdichev, como si presintiera el Holocausto dijo: "Señor, los *tfilim* (*) que llevas en la cabeza son Israel. Cuando los *tfilim* de un simple judío caen al suelo, él los levanta con amor, las limpia y las besa. Señor, tus *tfilim* han caído al suelo".

---

* *Tfilim*, en español filacterias, se trata de "pequeñas cajitas de cuero que contienen cierto texto bíblico y a las que están atadas correas, que sirven para fijarlas en la cabeza y en el brazo izquierdo. Las filacterias se usan en las oraciones matutinas diarias, excepto en días festivos". (*Enciclopedia Judáica Castellana*).

Guardo aquí un recorte de la carta que el profesor Leib Bayón acaba de mandarle al poeta Leivick para explicar por qué no puede colaborar en una enciclopedia pedagógica en idish que se pretende editar con fondos alemanes llamados de "rehabilitacion". Dentro de algunos años la carta parecerá obra de un excéntrico, pero creo que expresa claramente un sentimiento profundo que no es posible erradicar por decreto. Bayón argumenta que al aceptar esos fondos alemanes "estamos menospreciando la herencia espiritual, para buscar las migajas de una 'rehabilitación' material". Según él, se trata del típico conflicto entre el rey y el profeta. "El rey mira la realidad. Preocúpase por las ventajas del momento, por el bienestar material que puede ser fruto de los fondos de rehabilitación. El profeta, en cambio, con la mirada puesta en la lejanía, ve la destrucción que no dejará de ocasionar en nuestra vida este dinero impuro. Ve la profanación, la decadencia moral, que el dinero alemán lleva consigo".

Es curioso que con la fama de pragmáticos y buenos para los negocios que nos rodea, uno de nuestros mejores profesores piense de esa manera. Pero no la aburriré más.

Desde Monterrey el mundo parece más ordenado. Hemos logrado edificar una comunidad que es una especie de fortaleza, con su escuela, sinagoga, club y alberca, y es como el sol desde el que se ve cómo giran los planetas. Moviéndose en órbitas distintas giran los otros y desde nuestro sol establecemos con ellos relaciones diversas. Con todo, a veces pienso que este sol está más comunicado con la antigua *shtetl* de Polonia, Lituania o Rusia, que con su entorno más inmediato. Nuestros vestidos y actividades ya no son signos distintivos, pero por tradición y tono espiritual nuestra comunidad primaria se convierte en el filtro a través del cual observamos al mundo.

Si algo pretende entender, retenga la palabra comunidad, es clave. Comunidad es sinónimo de todo lo importante: abrigo, defensa, escudo, tradición, religión, esperanza, identidad, mortaja, El.

Pero, ¿por dónde seguimos? ¿Tiene usted idea? Uno de los problemas con la niña es que todo lo quería saber y en ocasiones ni la pregunta podía formular. Me demandaba demasiado, como si fuera un oráculo o un sabio. Hasta que se lo tuve que decir: "¿No me diga que usted es capaz de expresar todo lo que siente? Entonces, no se sobrepase en sus preguntas". Esa pretensión de que el lenguaje todo lo nombra y todo lo explica, no deja de asombrarme. ¿O usted sabe siempre por qué de repente se enoja o por qué está feliz? Mucho se puede decir con palabras, pero pretender que todo puede reducirse a las palabras es vano y absurdo. Esas sensaciones de ira incontrolable contra un episodio insignificante ¿de dónde brotan? O esa placidez oceánica, contemplativa, tranquila, reposada, ¿tiene una causa tangible? Por favor, no tratemos de ponerle nombre a todo, comportémonos como ante El, que es innombrable.

No sé si se ofendió y si fue así, lo olvidó de inmediato. Es a todas luces una persona buena, incapaz de atesorar rencores. Quizá, con el tiempo, esa bondad se transforme en su punto débil y entonces su fragilidad pueda ser tan grande como la luna.

Debo aclararle que para mí bondad no significa esa debilidad de carácter que lleva a condescender con cualquier cosa, tampoco la actitud melosa cuyo horizonte supremo es el fingimiento permanente de cariño, porque la bondad, para no ser sinónimo de tontería o superficialidad, siempre está obligada a acompañarse de otros atributos.

La bondad tiene una fuente única: la creencia de que todos los hombres son igualmente dignos y que todos, en el fondo, comparten un mismo código de valores. Pero, se trata de un espejismo incapaz de apreciar los excesos de los abusivos, los intrigantes, los mentirosos. El bondadoso está destinado a perder —si sólo es eso— porque le falta el conocimiento verdadero de los hombres. Bien dice el dicho: "el que es puro dulce se lo comen las hormigas". Y esa impresión me dio la muchachita. Su bondad era transparente, su conocimiento manaba de los libros, pero de los hombres no sabía ni jota.

Según el Talmud, el Señor, el padre y la madre, otorgan al niño diversos bienes y atributos. Los huesos, el cerebro y los tendones y fibras de un niño provienen del padre; la piel, la carne y el cabello, son obsequios de la madre, pero el espíritu, el alma, los sentidos y el lenguaje, vienen de El. Y si la bondad reside en el alma, lo único que puede hacerse es rodearla de una fortaleza que la defienda y evite que la fragilidad que la acompaña marque en forma implacable la vida.

Ante este tipo de reflexiones la niña no dejaba de esbozar una sonrisa y el rostro se le iluminaba. Era incapaz de esconder el gusto que le proporcionaban, pero al mismo tiempo una barrera, construida por la geografía y la historia, le impedía asimilarlas. Si hubiese hablado idish, esas historias no serían para ella más que *bobe maintzes*.

Le explico: *bobe maintzes* quiere decir literalmente cuentos de abuelita. Se trata de historias increíbles, construcciones de la imaginación, enredos para tontos. Por eso, cuando uno escucha un relato que suena a engaño y juego, a imposible y artificial, uno responde *bobe maintzes*. No son cuentos para niños, sino para adultos. Los primeros suelen ser candorosos, simples, ejemplares, los segundos recrean malicia, complejidad y suelen ser crueles. Nunca hay que confundirse. No solemos darle demasiada importancia a las *bobe maintzes*, de hecho siempre parecen deleznables, menores, y hacen perder demasiado tiempo. Entre las mejores que he escuchado, porque han logrado convertirse en leyenda, seducir a la gente, atraer incautos, está la historia del tesoro de Moctezuma. Más de cuatro siglos han pasado... Moctezuma, amable, hospitalario, ofrece sus habitaciones a los que luego serán los conquistadores. Por un azar, estos descubren el oro, las joyas, las riquezas del emperador. Han llegado a la tierra prometida y encuentran la fuente del poder. Moctezuma será obligado a entregar su tesoro a la Corona española. A continuación aparecen los pleitos por el reparto del botín. Y en medio de esas escaramuzas, la ciudad levantada en armas expulsa a los españoles que salen corriendo con una parte ínfima del tesoro. Lo demás queda en Palacio. La derrota resulta estrepitosa y se le bautiza en forma sintética y elocuente: La Noche Triste. Queda el ahuehuete donde lloró Cortés, pero desaparecen las joyas que cargaban los españoles. Quizá en el fondo de las aguas reposan restos de aquella riqueza. Los conquistadores, sin embargo, se recuperan y vuelven a embestir hasta que someten a la ciudad que hace apenas unos días los había expulsado. Pero a su regreso, la otra parte del tesoro ha desaparecido. Todavía se escuchan especulaciones, cuentos, argumentos y hasta enfrentamientos en relación al destino del tesoro. Se trata de una muestra perfecta de *bobe maintzes*.

Pero lo que para mí es una *bobe maintze,* puede no serlo para otra persona. Y ese es otro de sus atributos. Cambia sus colores dependiendo de quién la escucha. Así, las leyendas jasídicas que yo tanto aprecio, para la muchachita eran las equivalentes de la historia del tesoro de Moctezuma.

Le contaba, por ejemplo, que en Nicolsburg, Rabí Shmelke que era un gran *tzadik*... ¿Cómo explicarle lo que es un *tzadik*? Dice Martín Buber que se trata de una especie de auxiliar de los hombres, su traducción puede ser "el justo", el que resiste la prueba, el probado, pero lo cierto es que son hombres cuya vida ejemplar ilumina al resto, porque ese resto requiere socorro y consejo. El *tzadik* fortalece a sus seguidores "en las horas de duda, pero no les insufla la verdad; los ayuda a conquistarla y reconquistarla por sí mismos", "les da alas".

Bueno, pues yo le narraba historias de *tzadikim* como las de Rabí Shmelke de Nicolsburg. Este hombre ejemplar, dormía sentado y con una vela entre los dedos para que cuando se consumiera de inmediato lo despertara. Con ese método lograba acortar sus lapsos de sueño y reposo de tal suerte que las horas de estudio pudieran dilatarse. En una ocasión, uno de sus discípulos lo visitó y logró convencerlo para que se recostara por un rato. Luego cerró puertas y ventanas y así Rabí Shmelke durmió por largas horas. Al despertar, el Rabí estaba radiante. Fue al *shul*, es decir a la sinagoga, y rezó con una fuerza y devoción desconocida hasta entonces. Se dice que cuando pronunció los versículos sobre el Mar Muerto fue necesario recoger los bordes de su *tales* —el manto que se coloca cuando uno reza—, por miedo a que las violentas olas que se elevaban a sus lados pudieran mojarlos con espuma salada. Ese día Rabí Shmelke dijo a sus discípulos: hasta hoy comprendí que también puede servirse a Dios durmiendo.

Esta historia, que por cierto sigo al pie de la letra, no puede ser más que una *bobe maintze* para nuestra querida niña.

9

Durante los primeros años de mi estancia en México escuché que se les perseguía. Escuché que en su mayoría eran campesinos. Escuché que aquello sucedía en Guanajuato, Jalisco, Michoacán. Escuché que se habían cerrado las iglesias. Escuché que los obispos condenaban la violencia. Escuché que el gobierno culpaba a los obispos. Escuché el silencio de Roma. Escuché las letanías: "gesta por la fe", "cruzada contra el fanatismo". Escuché al coro de voces: tiranía, Dios, leyes, revolución, reacción, heroísmo, libertad, humillación, progreso. Escuché que los curas se iban a los montes. Escuché pastorales y proclamas. Escuché que los obispos se dividían y sus colores cambiaban de voz en voz. Escuché amenazas de excomunión y reclamos airados de la legítima autoridad. Escuché discusiones sobre la pertinencia y utilidad de la guerra como si se tratara de una transacción comercial. Escuché la palabra sacrificio e imaginé la sangre derramada. Escuché que se quemaban haciendas y se perseguían mujeres. Escuché a los curas culpándose mutuamente de la tragedia. Escuché *Madre Mía de Guadalupe, por tu religión me van a matar.* Escu-

34

ché mil especulaciones sobre la actuación de los americanos. Escuché la palabra "traición" y entendí sus múltiples y encontrados significados. Escuché la frase lapidaria y apabullante: "vencer o morir". Escuché la ruleta cambiante de los adjetivos y creí comprender la fragilidad de las convicciones. Escuché que "soldado de Cristo" y bandido eran sinónimos, que autoridad federal y Satán eran uno, que heroicos libertadores y despreciables fanáticos encarnaban en la misma persona. Escuché que los sacerdotes católicos, apostólicos y romanos, debían registrarse en la Secretaría de Gobernación. Escuché que algunos apoyaban a los fieles y que otros se cobijaban en el gobierno. Escuché que se ponía precio a las cabezas. Escuché historias de párrocos armados, de campesinos armados y, por supuesto, de generales armados. Escuché sobrenombres elocuentes: el Puro, el Curita Loco de León, el Pancho Villa de Sotana, el Imbécil, el Padre Chiquito. Escuché como si hubiese estado presente, las balas y sollozos de los fusilamientos. Escuché una y otra vez el nombre de una "Liga" de primordial objetivo: Defensa de la Libertad Religiosa. Escuché leyendas de atentados y bombas, de asesinatos y hombres frente al paredón, cuyo fondo era siempre la fe. Escuché , y casi compartí, la idea de que el argumento supremo siempre es la fuerza. Escuché llamamientos levantíscos que me crisparon los nervios: "¡México Guadalupano, México de Cristo Rey, México Hispánico!" Escuché nombres de gigantes que todo lo podían: Calles, Obregón, Amaro; y también de fantasmas que los ponían en jaque: Gorostieta, Capistrán Garza, Toral. Escuché también cuentos de engaños y fantasías, de conspiraciones y deserciones. Escuché una frase misteriosa que afirmaba que todos los caminos conducían a los Estados Unidos. Escuché la temeraria historia de los generales Serrano y Gómez y supe de su espeluznante fin. Escuché el desenlace anunciado de quienes escudados en su fe fueron abandonados por sus superiores, a la cabeza de los cuales se encontraba la intangible "Liga". Escuché: *vuela paloma, vuelve a volar, anda y dile a Calles, que no se vaya a equivocar*. Escuché las penalidades de quienes no se podían confesar. Escuché añoranzas por el tañir de las campanas. Escuché el llanto precipitado por la ausencia de comunión y la desaparición de las misas.

Me invadía un sentimiento de misericordia mezclado con algunos gramos de alivio. Por el momento, los judíos eran los otros.

10

¡Los años veintes! Terribles y apacibles. Mis años de descubrimiento de México y de mi asentamiento definitivo. Epoca de grandes asesinatos políticos y de echar raíces. Mis recuerdos mezclan el horror a la violencia que me enfermaba, mientras al mismo tiempo estábamos, con pie firme, edificando una comunidad.

Porque asesinar un estadista es cosa seria. El crimen de Sarajevo desencadenó una guerra del tamaño del mundo. Pero en los veintes, el asunto pareció diferente.

La orquesta del maestro Esparza Oteo tocaba *El Limoncito,* mientras los diputados electos por Guanajuato departían amablemente con el presidente —también electo— Alvaro Obregón. Comían mole en el restaurante *La Bombilla* del municipio de San Angel, y el presidente-general tenía dificultades para tomar tortilla y pollo... era manco.

Un joven taciturno, mientras tanto, dibujaba al general desde lejos. Con humor trazaba los rasgos para que la caricatura arrancara una sonrisa. Al compás de la orquesta se acercó a Obregón. Este se limpió con una servilleta el mole que le escurría de la boca. El joven dibujante le mostró la caricatura, y cuando el presidente iba a reír, el joven taciturno sacó una pistola y descargó sus balas en la cabeza del sonorense. El presidente cayó debajo de la mesa, sin acabar el mole. La fiesta había terminado.

Y antes, ¿sabe cuál es mi recuerdo de las elecciones presidenciales de 1924? Un enorme escarabajo de hierro que se mueve lentamente por la calle. Sus cuatro ruedas giran y producen el sonido propio de las cadenas al arrastrarse. Mira a través de dos pequeños orificios que pueden ser clausurados por dos láminas de hierro. Su trompa culmina en unas ventanillas semicubiertas por donde seguramente respira. A su paso la gente se aleja.

Y por esos años, como si se tratara de historias paralelas, cuando llegué a la capital, México era una ciudad majestuosa y su plaza amplia como el mar. Pero para mí, el centro verdadero se encontraba en Tacuba 15. El Palacio de Mármol era cálido como el verano y acogedor como una buena casa. Ahí acudía a leer y tomar té, a discutir y pedir consejo, a orar y a festejar. Tacuba 15 fue el símbolo de la solidaridad, el recinto de la hospitalidad. Su fachada sonreía cuando alguien entraba y dentro se respiraba, en desorden, el sosiego. Era una maqueta del pasado y un puente hacia el futuro. Una isla de tranquilidad en un paisaje inquietante. Tacuba 15 fue, a fin de cuentas, una palabra mágica, una realidad contundente y quedó grabada como un tatuaje en la memoria. Fue la señal para pensar en una estancia definitiva, la piedra sobre la que fundábamos una comunidad.

De aquellos años veintes, tempestuosos y decisivos, una imagen y una tonada sintetizan mis sentimientos encontrados. Pancho Villa y uno, el más suave, de sus múltiples corridos.

Villa, Francisco Villa, fue una de las primeras noticias que escuché en México. Villa baleado. Diez, veinte, treinta balas lo perforaron. Los cristales de su automóvil se hicieron trizas, uno de sus acompañantes quedó como una lengua extendida saliendo por la boca del coche y en una moneda de a peso —que el general traía en su chaleco— el águila quedó sin cabeza.

No obstante, la tonada del corrido es dulce y su cadencia placentera, como si hubiese muerto en igual forma. *Cuántos jilgueros y zenzontles veo pasar, pero ¡ay! que tristes vagan esas avecillas. Van a Chihuahua, a llorar sobre Parral, donde descansa el general Francisco Villa.*

Y es que las fotos de Villa muerto lo muestran tranquilo. Sobre una cama se encuentra desnudo, sólo un trapo blanco cubre su sexo, pero la expresión de la cara es de entera calma.

La muerte más violenta se acompaña por un silbido cálido. El espanto y la tranquilidad se entretejen y hacen de aquellos veintes una década especial, rotunda y promisoria.

11

Tengo que confesarle que mi propio relato me parece confuso. De repente ofrece la impresión de que la política —o su simple observación— ha jugado un papel relevante en mi vida. Y nada más alejado de la verdad. Vea usted cómo todas las referencias son externas, lejanas. Las muertes de Obregón o Villa fueron importantes porque imprimieron una tensión especial a nuestras expectativas, pero nuestra rutina fundamental estaba muy distante de la política y transcurría en el trabajo, la casa, la escuela de los niños.

Los asesinatos políticos fueron para mí una especie de señal de alarma y un presagio de malos tiempos. Era una reacción ante el pasado. Guerra y revolución, blancos y rojos, alemanes y rusos, zaristas, republicanos, bolcheviques, nunca significaron mayor cosa. Pasaban unos y luego otros, y la única constante era la cauda de dolor y destrucción. Conocidos de toda la vida se distanciaban al tomar bandos encontrados y no pocos se alejaron para enrolarse y combatir. Irrumpían a caballo, saqueaban los víveres, invadían las viviendas, destruían como el rayo. Una sola certeza teníamos entonces: había que esconder a las mujeres.

Deje que le cuente dos historias de aquellos años. El hermano de quien luego sería mi mujer era un hombre bueno y tranquilo. Se dedicaba a la confección de *tales* y sus ambiciones no eran muchas. Deseaba casarse, emigrar —él empezó a inculcarme el gusano de la partida—, tener muchos hijos y pocos sobresaltos.

Platicaba largas horas sobre un futuro promisorio que se abriría en otras latitudes. Bueno para los cuentos, inventaba historias de sastres pobres que nadaban en dinero en América, de vendedores ambulantes que no se cansaban de inaugurar grandes almacenes. Era necesario, sin embargo, sacudirse el letargo, fortalecer el espíritu y decidirse a emprender la aventura.

No había nada que temer. El mundo era ancho y las posibilidades se multiplicaban. Pero encerrado donde estaba, la vida transcurría sin ofrecer sus tesoros.

La guerra, ajena y cercana, era un acicate para sus ansias de marchar hacia nuevos horizontes. Pero de repente, irrumpió en su vida con una impertinencia mayúscula. Una guerra que no le correspondía y que se negaba a entender, de pronto le llevaba hasta su casa una orden de alistamiento. Pensó entonces que no podía seguir los imperativos de la vida como si fuera una oveja, pensó que no quería (y los deseos debían tener también algún valor) morir por algo tan difuso, pensó que él sería un emigrante exitoso y que nadie se lo impediría.

Una mañana se dirigió al bosque cercano, se sentó junto a un árbol, tomó dos copas de aguardiente de sendos tragos, sacó un contundente machete y de un golpe maduro y macizo cercenó su dedo gordo del pie derecho.

No fue a filas. Luego emigró.

Pero no todas las historias desembocaron en aguas dulces.

La abuela de mi yerno, ésa sí sufrió. Casada, con dos hijos, su marido partió a combatir. Regresó sano y salvo, pero su buena estrella se transformó en tragedia. La familia no permitió que volviera a ver a su marido. Ya no era digno de ella. Había incurrido en pecado: matar, trabajar en sábado, comer cerdo, eran prohibiciones que no podían ser transgredidas impunemente.

Cuando me lo contaron, comprendí las razones de los viejos y sentí una profunda lástima por la familia desmembrada. Pero una fuerza superior lo imponía.

Por fortuna, en México los asesinatos políticos no desencadenaron nuevas guerras. Quizá el país ya estaba agotado por tanta violencia.

Como se lo cuento a usted, se lo narraba a ella. Y ella en ocasiones dejaba de hablar y me miraba sin hacer más preguntas, con los ojos fijos, las manos sobre la mesa descansando y sólo la cinta de la grabadora corría.

Esos momentos no podían durar demasiado, porque entonces yo le preguntaba si lo que estaba diciendo no le importaba. Pero ella me respondía, no, no, no, ahí está la grabadora, no se preocupe, siga, por favor.

Durante un buen tiempo no supe si me veía con la extrañeza con que se mira a los animales en el zoológico. Las primeras sesiones fueron atropelladas, dispersas —como ahora— pero poco a poco nuestras conversaciones —porque en eso se convirtieron, hasta dejar de ser entrevistas— empezaron a fluir natural y reposadamente.

Entonces era ella quien me intrigaba a mí. Un día le pregunté por qué perdía el tiempo hablando con un viejo aburrido y parlanchín. Me contestó la muchachita que ella era también emigrante, aunque usó la palabra "refugiada". Ese término me pareció más exacto y adecuado por la inmensa amargura que destila. Aunque, en nuestro caso, cabe preguntarse si podemos considerarnos refugiados cuando lo somos ya por toda la vida. Porque la expresión "refugiado" no deja de apuntar a una situación transitoria, eventual; hace alusión a quienes en medio del acoso buscan un espacio vital protector, pero para luego volver a la normalidad.

Al decirle que hablaba un español perfecto (sobre todo comparado con el mío) y que siempre la creí mexicana, me aclaró que era de los niños que habían sido enviados a México para salvarlos de los estragos de la Guerra Civil española. Me contó entonces sobre su estadía en Morelia, sus vicisitudes en el nuevo país, todo lo cual arrojaba alguna luz sobre los motivos de su tesis.

No cabía duda, México era el destino de más de un infeliz. A la cita siguiente llegó con un regalo, un poema que transcribió a mano para mí. La muchachita me lo entregó apenada y cuando ella misma lo leyó, se me quedó mirando como si esperara un comentario. Yo, aturdido, le devolvía la mirada sin saber qué decir. El poema hablaba de sombras, heridas, herencias, gritos, entrañas, cuchillos, desvaríos, ¡qué se yo! La niña imaginaba que la poesía y los emigrados eran una especie de siameses.

Caminando por esos rumbos nos fuimos convirtiendo en amigos. Yo le contaba mis *bobe maintzes* y ella de vez en vez me obsequiaba algún poema. Pedro Garfias me ayudó a escuchar con precisión el desembarco en Veracruz que hasta entonces se me aparecía como un episodio mudo: "Qué hilo tan fino, que delgado junco/ —de acero fiel— nos une y nos separa/con España presente en el recuerdo,/con México presente en la esperanza". Ahora guardo aquí, gracias a la muchachita, poemas de Juan Rejano, León Felipe y otros que me prestan su voz. No creo que sea casual que precisamente León Felipe se sienta obligado a escribir de Auschwitz.

A cambio de esas poesías, de su compañía y su atenta actitud, yo le ofrecía una copa de vino. No encontré ningún obsequio mejor para nuestros paseos por mi vida. ¿Quién no aprecia el vino? Es el amigo en las duras y las maduras. Subraya el sabor de la comida, endulza el espíritu, mitiga dolores, ayuda a recrear quimeras, afina la sensibilidad, destraba la lengua, inflama los cánticos, facilita la amistad, ayuda a conocer a los hombres tras su antifaz, es sin duda uno de los frutos del paraíso que no han desaparecido. Dude de los que temen al vino. No temen a él, sino a ellos mismos.

"Sangre de las uvas" dice en el *Génesis*, "alegra a Dios y a los hombres" se señala en *Jueces,* Israel metafóricamente es la vid en los *Salmos*, así que el vino es algo mucho mayor y mejor que una simple bebida alcohólica. Abraham, según el *Génesis*, lo ofreció a sus visitantes como muestra de amistad.

Fabrico mi propio vino. Piso las uvas como se hacía en la antigüedad y mientras lo hago, canto, luego lo filtro y lo dejo reposar en un tonel. Según las *Berajot* (las bendiciones, que son un tratado sobre el Talmud) hay un vino especial, conservado desde la Creación, reservado para los justos. Antes, a los deudos se les ofrecían diez copas de vino para mitigar el dolor. En el *séider* * deben tomarse cuatro copas y no hay festividad que no se inicie con una copa de vino.

Para recibir y santificar el sábado se pronuncia el *kidush,* donde el vino juega un papel fundamental. El viernes por la noche, cuando aparece la luna, se lee el *kidush* que en hebreo quiere decir santificación. En torno a la mesa se reúne toda la familia. Levanto la copa de vino y empiezo a recitar: *Boruj a to Adonai...* ** Tengo una copa especial para la ceremonia. Es de cristal cortado y vacía tiene un sonido conmovedor, transparente, cristalino, agudo. Pero llena, rebosante de vino tinto, como bien dicen los *Salmos,* alegra el corazón. No encuentro mejor forma de abrirle la puerta al sábado. Como ve, santificación y satisfacción son palabras que tienen resonancias comunes. Y es que la primera atrae un inmenso gozo y una reposada tranquilidad que no puede alcanzarse por otros medios.

Ese estado de reposo rotundo, de apacible observación, nos convierte en una especie de balsa en un mar sin oleajes, fresco y sereno. El *kidush* y el vino nos acercan a El y producen una emoción, una dicha sosegada, que hace más dulce la vida. Se lo digo con franqueza: No sé cómo alguien puede vivir sin El. La sensación de tranquilidad oceánica, envolvente y absoluta que emana sólo de pensar en El, constituye el bálsamo mejor para curar penas, atajar sufrimientos y es el mejor consuelo ante lo desconoci-

---

* Séider, cena ritual para conmemorar la salida de los judíos de Egipto.

** *Boruj a to Adonai,* literalmente quiere decir *Bendito eres tú, Señor,* y son las palabras con las que se inician distintas bendiciones.

do. No podría perder la fe y seguir viviendo.

Bueno, por eso, y en agradecimiento, le ofrecía una copa de vino.

¿Que si soy muy religioso? Ni mucho ni poco. Ni tanto que queme al santo ni tanto que no lo alumbre. No soy tan devoto como debería, pero tampoco tanto como mis hijos creen. Nunca intenté escapar de mi condición, la asumí con gusto y orgullo y no me arrepiento. Pero, tampoco asimilé sin más todo lo que heredé. Una especie de filtro inasible acabó por sedimentar buena parte del legado, pero también desechó un cargamento considerable. Si cada generación pudiera medir con exactitud esos saldos tendríamos conciencia de lo esencial y lo adjetivo. Pero es imposible. Eso transcurre en forma imperceptible.

Uno pertenece a algo, es parte de una comunidad más vasta. Sin agarraderas claras y fuertes el hombre sería una fotografía sin contornos, nebulosa. Sólo la extrema arrogancia erige al hombre por encima de sus iguales, porque el individuo no es más que la gota de agua de un río caudaloso.

Siempre he pertenecido espiritualmente al pueblo judío. Sus tradiciones, usos, costumbres, prejuicios, creencias, hábitos, leyendas y consejas, su pasado y su destino, son los míos. Pero nadie camina por el mundo impunemente. En México, poco a poco, sin sentirlo y sin creerlo, nuevas ideas, aspiraciones y hasta poses me empezaron a invadir. Se trató de una invasión pacífica. Al final, nunca he dejado de ser lo que era, pero lo que era está tan transformado, que alguna vez pienso si no he perdido mi propio camino.

¡Pero hasta dónde he llegado de nuevo! ¡Qué capacidad para fugarme!

De esa manera, perdido en mi propia retórica, desesperado por mi incapacidad para llegar al destino de mi relato, decidí contarle sin más, el día del asalto.

Como todos los días, estaba yo en la tlapalería. No hacía ni más ni menos. Quien entra o se asoma a una tlapalería se maravilla con su interior, pero para quienes estamos instalados ahí, los rostros de los visitantes se convierten en un espectáculo. Los hay de todas las formas y texturas. Pero lo que siempre resulta fascinante es la expresión. Los rostros hablan antes que la boca. El gesto abarca los más diversos estados de ánimo, vocaciones, tonos espirituales, fuerza y resolución. Hay quienes se disculpan por solicitar algo y los que pretenden mandar como si fueran generales. Hay quienes se pierden observando aquello que los rodea y quienes van al grano. Los que aparecen porque están paseando o los que con su prisa todo lo tensan. La gente se deslumbra con las tlapalerías, pero nosotros —los que trabajamos en ellas— nos encantamos con la gente.

Irrumpieron en la tlapalería con furia. No se cubrían las caras. Eran dos: uno chaparro, moreno, con cara de malos amigos, una chamarra de cuero que le quedaba grande y una pistola que le hubiera preocupado a cualquiera. El otro era un poco más alto, con un bigotito de mariachi, unos labios delgados que ofrecían la impresión de un hombre sin boca y también una pistola que hacía recordar sin dificultad al miedo.

Ni el muchacho que trabaja conmigo ni yo nos movimos. Hubo un momento en que todos nos mirábamos sin decir nada, lo que no dejaba de ser ridículo. Pero eso sólo duró un segundo. El mariachi nos exigió todo el dinero de la caja. Nadie se movió y entonces repitió su exigencia pero ahora gritando. Quizá el temor nos había paralizado y por eso ni mi ayudante ni yo podíamos hablar o movernos. Parecíamos estatuas encantadas, como cuando los niños juegan a quedarse quietos. Fue entonces cuando el chaparro se acercó a mi gritándome:

—Orale judas, la lana o te mueres.

Como resorte automático funcionó mi derecha que con una exactitud desconocida fue a romperle la boca. Trastabilló, los ojos se le encendieron, la quijada apretada parecía que le comprimía la cara, la pistola temblaba en su mano, y por el labio inferior escurría una mancha de sangre. Se llevó la mano izquierda a la boca y la retiró pintada de rojo. Creo que en ese momento no pensé en nada. Alcancé a ver que el mariachi se acercaba a mí con santo pistolón, y cuando estuvimos frente a frente levantó mano y pistola para luego hacerlas caer sobre mi cabeza. Me hizo una grieta y perdí el conocimiento. Luego, según dijo mi ayudante, abrieron la caja y se llevaron el dinero. Poco, porque la venta del día había sido escasa.

Cuando por fin se lo conté a ella me di cuenta de que no resultaba tan vistoso y menos aún era importante. Un asalto, desesperado y ridículo, como hay miles. Y lo de "judas" por judío es algo que siempre está ahí. Demasiadas resonancias parecidas, demasiado similares al oído, para desaprovechar la posibilidad de utilizarlo como daga. ¡Vaya pues "judas" por judío!

Pero, si lo que en un principio pensé que era relevante, resultaba un cuento falto de interés, ¿entonces para qué continuar con nuestras entrevistas? Fue entonces, por primera vez y por culpa mía, que se suspendieron nuestras sesiones.

II

La ausencia es más poderosa que la presencia.
Luis Cardoza y Aragón

Pero volvió. Yo la esperaba y ella volvió. Nuestros encuentros no podían tener un final tan azaroso y pesado como las historias que le narraba. Sabía que ella no me dejaría con el amargo sabor de boca que me produjo su ausencia.

Regresó y me dijo que, por favor, siguiera contándole pasajes de mi vida, que ella se encargaría luego de darles forma y coherencia. Yo entonces sabía que nuestras pláticas no tendrían desembocadura alguna pero por su compañía bien valía la pena seguir hablando.

Así que volví a las leyendas jasídicas, a mi paso por México, a mis necedades y consejas.

Uno de los relatos jasídicos que más le gustó a la niña es aquel de Rabí Shmelke de Nikolsburg. En una ocasión le preguntaron con rotundo desencanto al *tzadik* si realmente creía que, en una época tan ordinaria y pedestre como la que les había tocado vivir, podría venir el Mesías. Rabí Shmelke contó entonces la siguiente historia: Durante largos y difíciles años los ejércitos de un rey asediaron una ciudad fortificada. Las batallas fueron duras, se derramaba no poca sangre y los esfuerzos eran mayúsculos, pero los defensores no cedían. Al fin, como la gota que logra horadar a la piedra, las huestes del rey hicieron suya la ciudad. Pero lo que fue un espacio digno y habitable no era ya más que un panteón de desechos. Por ello, fue necesario un ejército mayor de trabajadores encargado de remover los escombros, de modo que con posterioridad el lugar volviera a ser habitable y el rey pudiese construir su nuevo palacio. Ese es el trabajo —dijo el maestro— que ha tocado a nuestra generación.

No sé por qué, pero la historia le encantó. La comentaba en forma reiterada y decía que tal vez esa era la misión de sus contemporáneos, aunque levantar escombros no dejaba de ser una tarea rutinaria y agotadora.

Cada vez que mi cerebro se secaba y era incapaz de decir algo más sobre mi propio tránsito por México, le relataba alguna historia tradicional de las que conozco a montones.

Esos siempre fueron nuestros mejores momentos, porque cuando exigía precisión, fechas, fechas exactas, no nos podíamos comprender. Yo nací *erev peisaj*, es decir, unos cuantos días antes de la semana en la que se conmemora la salida de los judíos de Egipto. Y eso es todo. Nunca encontré razón para husmear en mayores precisiones. La persona crece y todos, sin distinción, se dan cuenta si se trata de un niño, un joven, un adulto o un viejo. Lo demás no son más que ganas de cuadricular la vida.

Al llegar, sin embargo, fue necesario inventar una fecha de nacimiento. Me dijeron que no sólo se trataba de una cuestión importante, sino imprescindible. Resultado: a partir de entonces nací el 19 de abril de 1900. Así quedaron todos contentos, no se trataba de la verdad pero sí de la verdad oficial, que es a fin de cuentas la que vale. A mí, primero me sorprendió la exactitud inexistente, pero luego me resultó placentero navegar con el siglo.

Algo similar me pasó con la nacionalidad. Polacos, rusos, alemanes, todos pasaron por mi pueblo. Durante la guerra, algunos de mis paisanos no sabían siquiera por quiénes serían reclutados. Pero no había confusión: propios y extraños sabían que éramos judíos. No había vuelta de hoja. Se es lo que se es. Pero tuve que ser polaco para quienes me exigían papeles. Porque en un mundo ordenado, es necesario tener un lugar de origen reconocido y con capacidad de expedir pasaporte. Pero ella no entendía muy bien mis puntos de vista, y demandaba mayor precisión.

S ólo contar la travesía de Polonia a Veracruz podría convertirse
  en un libro de aventuras. Pero yo no soy escritor y las
imágenes que persisten son equívocas y siempre ligadas a un sentimiento de ansiedad. Mientras duró el viaje el tiempo real se di-
lató enormemente, pero en retrospectiva no significa más que un
episodio minúsculo.

Salí en carreta, con mujer, hijo y samovar rumbo a Varsovia.
Ahí vendí la carreta. Abordamos un tren donde se apilaban hombres, mujeres, niños, bultos y maletas. La falta de espacio obligaba a recorrer kilómetros y kilómetros parado. El tren sufrió una
descompostura y la escasez de agua y comida estuvo a punto de
convertirse en catástrofe. La gente empezó a pelear, el niño llora-
ba y mi mujer desesperaba. Todo eso lo recuerdo apenas, pero el
llanto lo sigo escuchando tal cual. Llegamos por fin a Alemania y
tuve dificultades con los guardias de la frontera por no encontrar
un papel. La llegada a Berlín me produjo un sentimiento de miedo
y deslumbramiento. Deslumbramiento por la ciudad ya que pasé
mis primeros veinte años en un pueblito, miedo porque sólo tenía
un permiso de permanencia por tres días. Tomamos el tren a
Hamburgo y Amsterdam. Busqué ahí a un amigo de un amigo y
él me consiguió el barco. Luego siguieron mareos, hacinamiento,
pleitos, y al final, Cuba y Veracruz. El barco fue una casa temporal inhóspita pero recubierta por un halo de esperanza. Vivimos
unos días en una bodega insalubre acondicionada como dormito-
rio colectivo pero con la ilusión que se desprende cuando uno
tiene la mirada fija en el futuro. ¿Se da cuenta de cómo se adelga-
zan nuestras epopeyas con el tiempo?

Como podrá imaginar he viajado mucho. No soy Marco Polo, pero en 1922 ese recorrido no lo hacía cualquiera. Luego, viajé por el país como un trompo. Pero hay una travesía que solemos recordar en la familia.

Como usted sabe, el viernes, cuando el sol desaparece, empieza el sábado y el recogimiento. Regresar del *shul* —de la sinagoga— a la casa y encontrarse con dos velas encendidas siempre ha sido el símbolo de que lo fundamental sigue firme. Nunca, por ningún motivo, ni en los días de mayor gozo o tristeza, las llamas que anuncian el nacimiento del sábado dejaron de alimentarme con su leve pero intenso calor.

Pues bien, en un viaje de Veracruz a México, la descompostura del camión nos dejó a toda la familia detenida en Jalapa. Cuando la maldita máquina estuvo en condiciones de continuar la marcha, la familia se vio obligada a abandonarla porque la noche del viernes caería antes de llegar a su destino. Los mandatos son mandatos y todos bajamos del camión. Buscamos un hotel modesto, nos instalamos en una sola habitación y salí a comprar velas, pan y vino. Caminé algunas cuadras y regresé con las provisiones. Mi mujer, mis hijos y yo, cumplimos con las escrituras, y la luz tenue y palpitante de las velas nos cobijó toda la noche.

Pasamos el sábado en Jalapa, y a las seis de la tarde, cuando despuntaba el domingo, subimos a otro camión, que ahora sí nos dejó en la ciudad de México.

En México conocí el gusto por el viaje. Antes viajaba siempre por necesidad y recorría pequeños tramos, pero aquí, el paisaje, el barullo, el colorido, me hicieron revalorar los paseos. La verdad, no viajo de vacaciones sino por cuestiones de trabajo, pero mis recorridos se convierten en paseos agradables. Observo el paisaje, a la gente y me olvido de la rutina.

Muy frecuentemente viajaba de Monterrey a Laredo. Salía muy temprano para aprovechar todo el día, en el camión de las cuatro de la mañana, y cuando empezaba a amanecer me ponía los *tfilims* y comenzaba a rezar. A mis hijos, cuando me acompañaban, aquello les causaba pena, y me pedían que no lo hiciera. Pero yo les respondía que lo que uno es no debe dar vergüenza.

¿Se da cuenta? En un camión rumbo a Laredo, va un hombre corpulento que al amanecer se envuelve en un manto blanco y en el brazo y la cabeza se enreda unas tiras de cuero. ¿Qué piensa y se imagina el resto del pasaje? Lo mínimo: que se trata de un loco. Por asuntos como ese, de vez en vez, me pregunto ¿qué somos los judíos a los ojos de los otros? En la vieja casa, cuyos recuerdos salados no logran diluir la ternura propia de la melancolía, éramos conspiradores, asesinos de Cristo, criminales en los actos rituales, usureros, parásitos. En nuestro nuevo hogar, solamente somos otros. Pero la mirada de reojo, la duda ante lo diferente, los cuentos y leyendas clavados como flechas en la semiconciencia, en ocasiones despiden ese perfume delicado que solamente aprecian quienes han sido educados bajo el toque de alerta. Una insinuación, un gesto, un pequeño movimiento de mano, pueden rasgar una relación al igual que el más burdo de los antisemitismos.

Imagínese cómo hubiesen visto ojos extraños la ceremonia previa a *Yom Kipur*, cuando a través de un ritual ancestral expiamos nuestros pecados. Se llama *shlogn kapores*, y esos ojos extranjeros seguramente hubieran captado sólo la imagen de un hombre que hace girar tres veces sobre la cabeza un gallo, mientras pronuncia una oración.

Yom Kipur es el día más sagrado, destinado al arrepentimiento de nuestros pecados. Puedo decirle que quien cumple con ese día, aunque no observe otras fechas, es judío, y quien no, es que definitivamente ha renegado. Se trata de un día especial para tratar de acercarse a El y abominar de nuestros pecados. Por eso se mortifica al cuerpo y al alma. Es día de gracia y humildad para pedir perdón a nuestros semejantes, de reflexión para corregir el rumbo, de comunión con la pureza y la bondad, por eso ayunamos todo el día.

Ahora que hemos hablado de viajes, estoy orgulloso de unos en particular. Tomaba el camión temprano, salía de Monterrey para llegar al pequeño club de Tampico. Y en el puerto, en una pequeña sala, apenas se completaba el *minyan,* los diez hombres mayores de edad necesarios para iniciar el rezo. Yo era el encargado de conducir la ceremonia de *Yom Kipur*. En aquel puerto, impregnado de pescado y petróleo, ayunaba desde el anochecer de un día hasta la aparición de la primera estrella al día siguiente. El rezo de la primera noche es relativamente breve, pero al otro día uno no se despega ni un minuto del oratorio. En esas ocasiones, sin mí, mis paisanos de Tampico quizá no hubiesen podido llevar adelante la ceremonia. Me decían que era una *mitzve*, un auténtico acto de bondad, el que yo los acompañara en esas ocasiones.

El Rabí Leví Itzjac de Berditchev hacía una analogía curiosa entre la mujer que da a luz y nuestra actitud y la del Señor durante *Yom Kipur*. Comentaba: "La mujer que sufre dolores inclementes en el momento de arrojar a su hijo a la vida, llega a jurar que nunca más hará el amor con su marido. Y sin embargo, pasado el tiempo, la necesidad y el placer, la obligan a olvidar su juramento. Así, cada día del perdón confesamos nuestras faltas y pecados y juramos enmendarnos. Y sin embargo, volvemos a pecar, y el Señor vuelve a perdonarnos".

3

Así fluían nuestras conversaciones y la niña me empezó a inquirir sobre la forma en que ella debía integrar mi relato. Yo no tenía idea. Pero ella creía que sí. Insistía y yo era incapaz de darle una respuesta más o menos satisfactoria. Pero me empujaba preguntando, ¿dónde meto aquella reflexión del rey David ante Dios que usted me contó? Y entonces me leía: "Porque ¿quién soy yo; y quién es mi pueblo...? ¿Por qué nosotros, extranjeros y advenedizos somos delante de ti, como todos nuestros padres; y nuestros días sobre la tierra, cual sombra que no dura?". Y cómo iba a saber. Desde el inicio yo estaba consciente de lo difícil que era armar el rompecabezas de una vida, y ahora ella, que me había asegurado que con su "método científico" iba a resolver el problema, me regresaba la responsabilidad. Insistía: sus opiniones sobre Monterrey, ¿las inserto como parte de la historia de la comunidad judía o en el capítulo de sus evaluaciones sobre el país o en el de su fe? Y pasaba inmediatamente a leerme sus transcripciones: "Me gusta Monterrey. Monterrey es la escuela, el club, la alberca, y sobre todo, la sinagoga. La escuela está destinada a los niños, el club a los jóvenes y la alberca a ambos grupos. Pero la sinagoga es fundamentalmente para nosotros, los emigrantes, los que construímos esta comunidad de la nada. Tres veces al día es menester ir hacia ella. Centro del mundo, de mi mundo, sin ella, todo el trayecto hubiera sido inútil. En la sinagoga, pasado y futuro se encuentran, es el puente del tiempo. La construcción es insípida. Altas paredes sólidas y sin relieves, las ventanas cumplen con su papel y filtran el aire y la luz, la galería para las mujeres y un techo que se negó a disfrazarse con adornos. Pero sus sillas y respaldos de madera, sus candelabros, su arca para guardar las *toras*, los lugares para colocar *tales* y *tfilims*, los propios rollos bíblicos vestidos con sus galas rojas o azules llenas de pedrería, los leones bordados, el *shofar*, cuerno de carnero con el que se anuncian distintas festividades, hacen del frío inmueble un auténtico *shul,* un sitio para entrar en comunión con El, apaciguar remordimientos y dolores o multiplicar la dicha". Y yo me quedaba atónito, y su insistencia se convertía en terquedad, porque pensaba que yo podía y debía ayudarla a resolver su problema. Volvía a atacar como si mis negativas fueran caprichos y no producto de mi incapacidad. "¿Qué hago con sus declaraciones sobre aquel periódico? No puedo reconstruir una historia de la prensa judía, pero no las quiero desechar". "Escúcheme, escúcheme, por favor", y de nuevo se ponía a leer: "Leía *Der Veg* (El Camino) periódico en idish publicado en México. El periódico le confirmaba sus corazonadas y certezas, le recreaba estampas vivas pero inexistentes de su entorno anterior, le detallaba aquello que pasaba desapercibido para otros, le introducía en temas fascinantes. Era una pasarela hacia un tono espiritual singular y un abrigo ante el bullicio exterior. *Der veg*, más allá de sus propósitos explícitos, ordenaba los acontecimientos y modulaba cálidamente el alud de novedades informes. *Der Veg* y una copa de tequila —dice el entrevistado— son dos buenos amigos que se saben acompañar".

Ante temas como ése, se me ocurría decirle que lo compaginara dentro de un capítulo sobre el idish. Porque el idish es un idioma cálido y el único en el que puedo expresar con fidelidad mis ideas. Existen sentimientos, rituales, aforismos, chistes, que son intraducibles. La lengua modela el espíritu, el tono de la vida, la afinación anímica. El idish es mi piel y mi entraña, molde de mis muchas o pocas ideas y vehículo de mi desesperación. Por ello, leer tiene sentido en idish. Mendele Moijer Sforim y su veta popular, el humor agudo de Sholem Aleijem, el moralismo de Peretz, Sholem Ash, Reisen, Nister, hasta llegar al *Beth Din* de Bashevis Singer, donde me reencuentro con un pasado vivo y añorado, simple y maravilloso, educador y ambiguo, real y tangible. Todo lo mío fluye en idish. Mi mucho o poco entendimiento ahí se recrea, sintetiza y expande.

Ella entonces me agradecía la colaboración. Pero a la siguiente reunión caíamos indefectiblemente en el mismo círculo.

4

Tratando de protegerme de sus insistentes embestidas, un día le dije que debería ordenar el material por temas. ¡Nunca lo hubiera hecho! Ahora era yo el que debía hacer esa tarea. Me traía fichas y más fichas, como ella llamaba a unas tarjetitas de cartón donde se le ocurrió transcribir todos mis dichos y cuentos. ¡Qué horror! Se trataba de cientos de ocurrencias, relatos, leyendas, sentencias, chistes, historias, que simple y llanamente no tenían pies ni cabeza. Al verla desesperada, no me atrevía a decirle que ella era la que poseía "el método", "la ciencia", "el conocimiento", para darle forma a esa constelación anárquica de papelitos. A fin de cuentas, ella había sido la de la idea de grabar y grabar. Lo demás —según ella— correría por su cuenta. Y ahí estábamos los dos, tratando de armar un rompecabezas.

Por ejemplo, sacaba una tarjetita donde, según su muy peculiar forma de entender las cosas, estaban claramente expuestos los motivos de los emigrantes. Y entonces leía: "El anhelo de un lugar donde reiniciar la vida, la búsqueda de un mundo corregido de persecuciones y carencias, el escape de lo existente porque resulta asfixiante e inmodificable, el ensueño de encontrar un sucedáneo de la tierra prometida, fueron los alimentos de mi quimera. Pero un sueño no tiene por qué dejar de serlo. Se puede añorar toda la vida, dejar que los deseos se consuman a sí mismos. Fue el coraje, la impotencia y un imperativo que se apoderó de mi y mis ilusiones lo que me decidió a abandonar familia y paisaje, para darle una oportunidad a la esperanza". ¡Y claro!, como nuestro tránsito por el mundo, nuestras migraciones constantes, nuestro desarraigo nos remiten al tema de la diáspora, pues la muchachita sacaba otra tarjetita que en su encabezado decía "Diáspora", y empezaba otra vez a leer: "Diáspora, esporas dispersas, engranaje de reproducción, comunidades que se multiplican, islas que son singulares, unidad en la diversidad. Destierro, desalojo, exilio, expulsión, relegación, proscripción, deportación, desarraigo, alejamiento, segregación. Las palabras no dejan de ser curiosidades: se emparentan, se distancian, tienden puentes, se reconocen. Unas son fuertes y martillan los oídos, otras vibran con amargura, mientras las de más allá parecen lastimosas o incluso miserables... pero al final, siempre al final, se pueden hermanar: diáspora, *galut*". Yo me sorprendía y le inquiría sobre el momento en el que había dicho yo semejantes incoherencias, y ella me daba el día y la hora exacta. ¡Vaya, vaya! De todas formas, póngase usted a armar esas tarjetitas que recogían comentarios sueltos, lanzados al pasar. Estábamos en el tema de los motivos que impulsan a los emigrantes y de repente, como si fuera un mago, sacaba un comentario anodino sobre Trotsky, sí, sí, sobre Trotsky, que para ella también era un emigrado. Y si yo había dicho que "sus anteojos de aro que escondían unos ojos pícaros, su coqueta barbita que negaba la mata irredenta de pelo sobre la cara, sus ademanes duros y graciosos, su francés e internacionalismo, todo ello explicaba por qué Lev Davidovich Bronstein se llamaba León Trotsky", ella me preguntaba dónde meter ese disparate. Aunque debo confesarle que la presencia de Bronstein en Coyoacán no dejó de reforzarme la que en ocasiones es mi visión trágica de la vida. Por algún designio caprichoso del destino, caminos distintos, incluso opuestos, desembocaban en México.

Como ese ejemplo puedo poner otros mil. De repente la niña aparecía preocupada por la forma en que fuimos recibidos en México. Los fantasmas del racismo rondaban por su cabeza. Había encontrado, vaya usted a saber en dónde, una carta de unos antisemitas dirigida al presidente Cárdenas. Me la traía y le daba lectura dos o tres veces, como si yo fuera un bobo y no entendiera bien. Colocaba el documento, un recorte de periódico o una transcripción a mano, y con voz de mensajero del rey leía: "La Directiva del Comité Central *Pro-raza,* envía ante usted esta enérgica protesta por el atentado cometido por elementos comunistas en las personas de componentes de la avanzada guardia nacionalista mexicana acaecido la noche del primero del actual en Isabel la Católica número dos de esta ciudad (punto) Confiamos en que usted como primera autoridad mexicana ordene un enérgico castigo para los asesinos comunistas dirigidos por elementos extranjeros, en su mayoría judíos (punto)" (Telegrama con fecha del 2 de septiembre de 1937). Yo simplemente no me acordaba de aquel incidente ni qué significaba aquella hojita de papel ahora revivida, pero eso le daba pie a nuestra amiga para sacar otra tarjetita donde había congelado mi voz. "Me he sentido como un pez en el agua. Me aclimaté en México a pesar de ser, en un principio, especie extraña. Soy como la guitarra, el romance español, el radio, el euca-

58

lipto, que no nacieron en México, pero que ahora forman parte de su paisaje. ¿Que si he sentido o sufrido el racismo? Mire, el temor y la distancia hacia lo extraño lo conozco bien. Es parte también de nuestra cultura. Quizá sea una reacción universal. Pero la agresividad extendida, la persecución como política, la amenaza sistemática, para mí se quedaron en Europa. No quiero hacer cuentas alegres. El miedo a 'lo otro' siempre está presente, a veces adormilado, pero siempre presente. Y quién sabe bajo qué circunstancias puede despertar. Tal vez se trata de una marca de nuestro pasado inmediato, tal vez..." En forma súbita ligaba ese comentario con una anécdota que yo había recordado hablando de las bondades de la imaginación. Sacaba de una caja de zapatos, convertida en archivero, una más de sus necias transcripciones: "La imaginación es uno de los grandes dones de la vida. De hecho, quien tiene esa virtud puede vivir varias vidas y recompensar sus carencias y limitaciones. Se trata de un extra que multiplica las sensaciones que ofrece la existencia. Los hombres sin imaginación suelen ser rutinarios, aburridos, tristes. Pero la imaginación desbordada, elemental, prejuicidada, puede causar enormes desastres. En esta materia la imagen que de los judíos tienen los otros, no deja de contener una dosis excesiva de esa imaginación pedestre y ofensiva. Un amigo dice que en Veracruz una persona le preguntó por su cola y cuernos. Con un sentido del humor que no siempre puede llevarse a la mano, contestó: 'Los cuernos me los mandé quitar en un hospital y la cola mañana se la enseño".

Por esa ruta, usted puede imaginar con facilidad que no llegábamos a ningún lado. Mejor dicho, que ella no llegaba a ningún lado, porque yo nunca tuve la pretensión de ordenar lo que por su propia naturaleza es desordenado. Sin embargo, seguía colaborando porque me atraía su enorme curiosidad. En eso se parece a mí. La curiosidad, el cosquilleo por ver y tocar lo que está más allá, las ganas de aplastar la cotidianidad, es lo que a uno lo lleva a meterse en todas partes. Y México resultó un mar de sorpresas, una caja de pandora, el cuerno de la diversidad. El destino me arrojó aquí, pero la recompensa no ha sido escasa. Por el contrario, descubrimientos y deslumbramientos sucesivos. Me asomé por todos los resquicios, olí lo dulce, lo amargo y lo descompuesto, espié a más de uno, busqué y encontré lo sublime y lo ridículo. Ella me decía que yo soy como una esponja que absorbe líquido vital por todos los poros, pero sólo apretándome con fuerza —con extrema fuerza— puedo soltar todo el jugo. Así que imagine el juego ridículo: yo esponja y ella una forzuda que intenta extraer mi líquido.

5

Luego exploramos otras veredas. Como usted sabe, lo único que no tiene fin es jugar a acomodar las cosas. Ahora se le ocurría que ya no agruparíamos sus fichitas por temas sino por décadas. Así el texto sería una historia. Primero, la emigración, la llegada, el aprendizaje del idioma, los primeros trabajos, los hijos chicos, los recorridos por el país. Luego, la instalación definitiva, el trabajo, las nuevas amistades, los hijos crecidos. Al final, el asentamiento, la mejoría económica, la rutina diaria, los hijos que empiezan a tener hijos.

Pero por esa ruta los resultados eran peores. No sé por qué, pero lo único que se podía agrupar eran comentarios sobre acontecimientos políticos. De esa manera aparecía yo como una especie de periodista atento e interesado en los dimes y diretes de esa lamentable actividad. Me impresionó muchísimo la noticia del atentado a unos inocentes al salir de la Iglesia. Al grito de "Guerra contra Dios" —grito no sólo inhumano sino diabólico—, se habían apostado fuera de la iglesia varias decenas de Camisas Rojas y en el momento en que los fieles salían de la misa, habían disparado. La foto de tres de los asesinos, sin embargo, los mostraba como hombres jóvenes, de rostros tranquilos, incluso impávidos. Nada singular había en su pelo (ondulado el de uno, lacio el de los otros dos), ojos pequeños, pómulos salientes (uno), imberbes (dos), bigote ralo (uno), bocas de todos tamaños. Si no fuera porque los tres estaban vestidos de negro, nada especial hubiera destacado. Y sin embargo, se sentían lo suficientemente grandes como para declararle la guerra a Dios, lo cual los obligaba a disparar contra la pequeña multitud que salía de la parroquia de San Juan Bautista en Coyoacán.

Ese comentario lo había recogido nuestra amiga. Lo cierto es que fue un acontecimiento que me estampó su huella. Y como había sucedido, si mal no recuerdo, a principio de los años treinta, entonces había que ligarlo —no sé cómo— con aquel memorable enfrentamiento en el Zócalo. Caballos contra automóviles, reatas contra palos, pistolas contra puñales, dorados contra rojos, fascistas contra comunistas, A.R.M. contra Frente Unico del Volante, Nicolás Rodríguez contra David Alfaro Siqueiros. Y todo en la Plaza de la Constitución. Qué espectáculo: el taxi embiste al caballo. Este se para en sus dos patas traseras y gana en altura al automóvil. El taxi deja las llantas pintadas en el pavimento y vuelve a la carga, ahora con suerte. El jinete cae y pierde el sombrero, el caballo se desploma, pero se levanta cojeando (el jinete, no el caballo). El taxista saca la mano por la ventanilla en son de victoria. El charro intenta lazar a un "rojo" de sombrero. Falla. El del sombrero se da la vuelta y tira un garrotazo al de a caballo. Tampoco atina. Por lo pronto están empatados. Los palos se alzan por los aires. Gritos de todo tipo, metálicos, ensordecedores, los acompañan. El remolino se expande y diluye hasta convertirse en una danza anárquica, plagada de ruidos e imágenes irrepetibles, porque cada testigo es a su vez único e insustituible. Lástima que el espectáculo tenga que arrojar muertos y heridos.

Y ya por ese sinuoso sendero, ¿cómo no llegar, por ejemplo, a la expropiación petrolera?

Por una casualidad que he olvidado, viajé de Monterrey a la ciudad de México. Me tocó ver la concentración de apoyo a Cárdenas el día de la expropiación del petróleo. Como usted sabe, los poderosos son los poderosos. Poco o nada hay que hablar al respecto. Pero cuando en alguna ocasión llegan a perder, usted puede asegurar que la gente va a dar rienda suelta a su regocijo. El Zócalo estaba lleno, vibrando, expandiéndose a cada minuto, y los presentes gozando la venganza. Miles de cohetes iluminaban la alegría, los gritos encontraban y se abrazaban a nuevos gritos. Las mantas ondulaban sus consignas que parecían entonar una melodía. A través de los cantos, los hombres jugaban a ser niños. Bien valía la pena estar ahí. Un día de juego, dicha, fiesta, siempre es un regalo merecido. Sobre todo si se tiene conciencia de su fragilidad, ya que el pan nuestro de cada día, por el contrario y por desgracia, está marcado por el infortunio. Ahora un padre bondadoso —Tata Lázaro— atendía a sus retoños e inauguraba una avenida para la esperanza. "El petróleo es nuestro", se leía en una manta, y el júbilo, pensé, también es nuestro... y no es poca cosa.

Pero como le decía, esa fórmula de acomodar los acontecimientos llevaba a la niña a un callejón horrible: la historia de México contada por un emigrante judío.

6

Ojalá todos los problemas hubiesen sido similares a los de armar un rompecabezas. Eso era pan comido. Los nudos más difíciles de desatar eran las dificultades para explicarle o traducirle algunas cosas. De repente ella llegaba con una de esas preguntas inocentes pero sin respuesta posible: "¿Y por qué usted no come jamón?, tan sabroso que es, no sabe de lo que se pierde". Y uno empezaba a tratar de explicarle. Mire usted, nunca he comido jamón ni chicharrón ni carnitas, y falta tampoco me ha hecho. Hay que saber comer; comer como se manda. He cambiado mucho, pero no tanto como para dejar de comer *kosher*, es decir aquello que ritualmente es permisible y legítimo. No me interesa el origen de las prohibiciones, si se levantaron por motivos de higiene y salud o si son meras supersticiones, lo importante es que existen alimentos que no está permitido comer y punto. No hay que buscarle tres pies al gato. No he ingerido camarones o langostinos porque no tienen aletas y escamas; nunca comeré gusanos porque se arrastran, o aves de rapiña que ponen su pata sobre el alimento que han de comer. Tampoco comeré conejo, liebre, anfibios e insectos. Pero ¿por qué tenía ella que entenderme? No obstante continuaba. Fíjese usted, además es necesario que los animales hayan muerto a manos de un *shoijet*, un matarife capacitado para bien matarlos. A los animales que caminan sobre cuatro patas el *shoijet* les corta el esófago y la tráquea con un cuchillo impecablemente afilado sin ninguna muesca o imperfección, sin hacer presión, sin quitar el cuchillo, para que la muerte sea por desangramiento. Para cerciorarse de que el filo del cuchillo es perfecto, el *shoijet* tiene que pasarlo tres veces sobre su dedo y tres veces sobre la uña y revisarlo también después de la matanza. Si el matarife no cumple con lo establecido la carne se convierte en *treif*, en carne prohibida. También será *treif* si el animal tiene los intestinos perforados, lesiones externas, pulmonares o producidas por caída o si no se le lava cuidadosamente para que no tenga algún residuo de sangre. La sangre no puede consumirse, está totalmente prohibida. Si un huevo tiene alguna gota de sangre es *treif*, así que puede imaginarse la repulsión que me produce la moronga. No deben mezclarse la leche y la carne, no digamos en un mismo platillo, sino incluso en la misma comida. La Biblia repite tres veces la prohibición de cocer al cabrito en la leche de su madre. Y de ahí se deriva la censura para mezclar carne y leche. En mi casa, para evitar equivocaciones, existen dos juegos de cubiertos, platos y ollas. Unos para los alimentos *miljic*, es decir lácteos, y otros para los *fleishic* (las carnes). No resulta complicado. Las prohibiciones no son onerosas y si lo fueran también habría que acatarlas, y resta un mundo de alimentos que pueden consumirse con auténtico gusto.

Al terminar mi perorata volteaba a verla y veía que tenía los ojos abiertos como platos, como si estuviera frente a un extraterrestre. Lo único que faltaba era que empezara a cantar: "los marcianos llegaron ya..."

Pero bueno, es el mismo pasmo que a mí me produce ver cómo la gente se hinca ante las imágenes que supone sagradas. Postrarse arrodillado ante un santo. No sólo no lo entiendo sino que me irrita. No es humildad sino humillación. Pero si además el desplazamiento a lo largo de varios kilómetros se hace hincado, entonces el acto me indigna y repugna. Es como si el hombre se convirtiera en gusano y arrastrándose por el piso diera alguna satisfacción al Señor. No lo entiendo ni lo voy a entender. Así que estamos empatados. Sólo erguidos, verticales, se puede servir a El.

7

Cualquier tema es bueno para emprender una conversación, pero ella quería algo más que un diálogo sin libreto. Luego de platicar como dos amigos y de pasar un rato agradable, a veces hasta juguetón, ella se enojaba por no poder modelar mis palabras.

Me preguntaba por la familia y yo le respondía sobre mi mujer o mis hijos. Quería que le contara sus historias. Si tuviera que rehacer mis primeros recorridos por México podría acudir a las actas de nacimiento de mis hijos. El mayor nació en Polonia, la segunda en Veracruz, la tercera en San Luis Potosí y el cuarto en

Monterrey. En un principio éramos una familia errante. De allá para acá, de acá para allá. Usted no se imagina lo que México ha cambiado en treinta años. Y nosotros con él. Pulque, huaraches, sombreros, rebozos, usted casi ya no ve en la ciudad. Pero antes... por todos lados. Por cierto, nunca me gustó el pulque, me daba náuseas. Siempre preferí el tequila, cristalino, como pocos alcoholes. Siempre lo he dicho: "para todo mal, mezcal y para todo bien, también". Algún día lo escuché y me pareció gracioso y sabio, y nunca me he cansado de repetirlo. Pero como no se trata de repetir frases que uno no acata, de ser inconsecuente, antes de la comida siempre me cae bien un tequila. Salud, *lejaim*.

Pero, ya se habrá dado cuenta, la pregunta era una y yo me fugaba por otros caminos. Ella entonces insistía: "pero le estoy preguntando por su familia"; y yo, como regresando de un paseo, le contestaba: "¡Ah sí!, perdone, pero ¿por dónde andábamos?". Y entonces, por ejemplo, abría los brazos y le señalaba toda la casa. Mire, mire, fotografías por todos lados. En las paredes, sobre la mesa de la sala, en los cuartos, sobre las repisas, burós, toda mi casa es un museo de caras y poses. A falta de otra cosa, mi mujer ha atesorado fotos y más fotos. De hijos, nietos, bodas, *barmitzvas* *, paseos, bailes. Ahí se encuentra también la historia de mi familia. Aunque de tanto vivir con ellas ya no volteo ni a mirarlas, pero sé que son un testimonio de lo que la niña quería saber.

Pero, olvídese, las fotos también mienten. Vea: ese hombre gordo, alto, de pelo negro, que sonríe sin motivo al tiempo que alza la mano para saludar a nadie, ¿soy yo? o ¿soy ese fantasma de negro, con largas barbas y rostro demacrado, delgado y asustado? Porque ahora, con el pelo encanecido y una buena dosis de cansancio, no logro reconocerme ni a mí mismo, o a ellos que a lo mejor son mis propios antepasados.

El tiempo es irremediable y por ello el sentido de los acontecimientos inasible. Ni yo mismo, mirando las fotos, entiendo. El

---

* *Bar-mitzva*, ceremonía religiosa que realizan los niños al cumplir los trece años de edad y a partir de la cual pasan a formar parte de la comunidad de los adultos.

tiempo es demasiado fugaz para ser aprehendido, pero demasiado denso como para negar su existencia.

¡Se da cuenta!, me había fugado de nuevo, y ello exasperaba a la niña. Clamaba para que comprendiera sus necesidades, para que comprendiera su intención, para que comprendiera el sentido de nuestras entrevistas.

Comprender, comprender, comprender. Afán inútil. Sobre todo porque la gente confunde conocimiento y comprensión. Los mezcla, sustituye una cosa por otra, finge, se esfuerza, y al final el asunto se convierte en un lío. Durante años un mosaico del baño de la casa estuvo flojo. Si se le pisaba emitía un sonido peculiar, un tac-tac simpático, nada molesto. Siempre que entraba al baño lo pisaba e igual hacía mi hijo mayor, pero pronto me di cuenta de que mis hijas no lo hacían bajo ninguna circunstancia. En cambio, mi mujer y mi hijo menor algunas veces lo pisaban y otras no. Curioso que ello sucediera y que yo tomara nota. Si unos miembros de la familia siempre lo hubiésemos pisado y los otros siempre no, entonces la combinación de cerrar la puerta y el tac-tac del suelo o su silencio me hubieran dado la posibilidad de saber quién estaba dentro. Pero puesto que algunos a veces pisaban el mosaico hablador y a veces no, saber quién se encontraba en el baño se convertía en una adivinanza. Se da cuenta, era yo poseedor de conocimiento, inútil pero conocimiento al fin. Y lo había adquirido sin pretenderlo, sólo por la reiteración de los hechos. Pues bien, ¿qué tiene que ver en este caso el conocimiento con la comprensión? Entre conocer y comprender existe un abismo que los necios pretenden cruzar en forma simple.

En una ocasión le preguntaron a Rabí Leví Itzjac, ¿por qué no había primera página en ninguno de los tratados del Talmud babilónico? ¿Por qué todos y cada uno empezaban en la página dos? Aquel *tzadik* respondió: "Por mucho que un hombre pueda aprender o conocer, siempre debe recordar que no ha llegado siquiera a la primera página de la comprensión".

Pero la tarea que la niña se había autoimpuesto era la de comprender. Y peor para ella: creía entonces que comprender resultaba sinónimo de armar. Tenía la impresión de que contaba, gracias a mis pláticas, con las piezas de un rompecabezas, y que ahora su trabajo consistía en armarlas. Esa ilusión fue la que alargó aquellas sesiones.

Llegaba con un tema sobre el cual, decía, debería centrarse nuestra plática. Por ejemplo, la nacionalización de los emigrantes. Yo, como buen colaborador, empezaba a hablar. En el momento en que pude, me nacionalicé. Nunca fui realmente polaco, así que no renunciaba a nada. Y cuando tuve conciencia de que mi estancia en México no sería temporal sino definitiva, me nacionalicé o me naturalicé, como se decía antes. En aquel entonces, había muchísimas facilidades. Me presenté con mis papeles de inmigrante, llené una solicitud y ese mismo día era ya mexicano. Fácil, ¿verdad? Ella entonces se me quedaba mirando sin decir nada. El capítulo estaba resuelto en forma precisa y concisa, pero era evidente que no le satisfacía. Entonces yo me veía obligado a agregar: la sencillez de los trámites no puede sustituir al complicado proceso de nacionalización que fluye en la vida cotidiana. Lo cual, para su desgracia, abría la posibilidad de saltar a cualquier otro asunto.

8

los saltos se empezaron a convertir en auténticas piruetas.

Quizá yo abusaba, pero tengo la impresión de que con mis juegos no trataba de quitarle vuelo, desestimularla, indicarle que su tarea sería vana. Aunque yo a esas alturas refrendaba que las piezas que le ofrecía correspondían a distintos rompecabezas. Realmente jugaba. Deseaba divertirme con ella, aunque, tal vez, sólo me divertía a su costa. Todo, hasta lo más transparente, puede volverse equívoco. El día de mi supuesto cumpleaños ella tenía el detalle de traer un pastel y como en un susurro empezaba a cantar: *"Estas son las mañanitas que cantaba el Rey David..."*, y este viejo, creyéndose simpático empezaba a desvariar: ¿Qué Rey David? El segundo rey de Israel, el escudero de Saúl, el que venció a Goliat, el que conquistó Jerusalén y la hizo capital de su reino, el que derrotó a los filisteos, el que pactó con Jonathan, el que forjó la unión de Judá e Israel, el que creó un ejército profesional, el que llévo el Arca de la Alianza a Jerusalén, el que perdonaba a sus enemigos, el poeta y cantor, el que por haber rasgado la ropa de Saúl sufrió de frío en su vejez, el que casó con Batsheba... *a las muchachas bonitas se las cantamos aquí.*

Saltos, brincos, cabriolas, piruetas, juegos. ¿Qué eran para ella que reclamaba otra cosa, una historia metódica?... Mi "método" quizá se emparentaba con el del Talmud. De él, lo que más me gusta son sus leyendas, sus consejas, sus cuentos, sus anécdotas. Esa parte es un compendio al que preside la idea de que el proceso de conocimiento debe ser placentero, festivo, sencillo. No se trata de todo el Talmud sino de la Hagadá, la que por encima de la parte legal combina todo: epigramas, fábulas, biografías, sermones, dichos, relatos, que en conjunto van conformando una visión del mundo. Ese método, diría nuestra niña, despierta la imaginación, penetra hasta el fondo ya que embiste desde todos los flancos como los buenos ejércitos. Quien se acerca al Talmud sin un buen guía se perderá como en una tupida selva, porque ahí coexisten diferentes voces, interpretaciones, grados de elaboración intelectual. Puede chocar de repente con lo más pedestre y sencillo, sólo para encontrarse a la vuelta de la esquina un texto inexpugnable, críptico. Pero una vez detectado lo que a uno gusta e importa, puede acudir a ello, sin mayores rodeos. Soy de los que pueden leer una y mil veces un mismo texto, a sabiendas que se irá modificando al igual que nosotros.

De seguro se trata de una herencia de nuestras plegarias. *Leshana hava ierushalaim,* el año próximo en Jerusalén, es parte de un ritual, que por más que se repita no acaba por desgastarse. La fe se mantiene incólumne, no importa que el horizonte sea nebuloso. Algún día sucedería, he pensado a lo largo de los años. Pero lo que yo hiciera o dejara de hacer nada tenía que ver con ese día luminoso. Algunos llaman a eso resignación. Nunca he pensado, ni en el pasado ni hoy, en establecerme en Israel. Israel es la tierra prometida por nuestras escrituras… cuando el Mesías llegue. Fue y es una utopía, y ahora que es una realidad… Hace apenas unos años, entre muchas danzas, algunos cánticos y escaso vino, celebrábamos la creación del estado de Israel. Hombres y mujeres se tomaban las manos haciendo una rueda irregular que se ensanchaba y adelgazaba al ritmo de la música, pero que no dejaba de girar. Fuera del círculo, algunos brindaban o cantaban de gusto, se formaban pequeñísimos grupos para estrechar las manos o entregar un beso, con las ansias de sellar el momento. Abrazos, gritos, cohetes, me dejaron agotado y feliz.

Al volver a casa, solo en mi cuarto, me tendí vestido en la cama mirando al techo. Israel estaba a punto de ser una realidad. Pero esa realidad ya existía desde tiempo atrás en los ensueños de millones de hombres, y era seguro que esos ensueños estarían ahora en contradicción con la realidad. Israel tomaba forma en mi imaginación como una gran *shtetl*, con un *jeder* en cada cuadra, pequeñas sinagogas por todos lados. Los hombres caminan con sus largos abrigos negros, sus espesas barbas, sus *peyies* *, sombreros y *yamulkes* **, las mujeres con sus mascadas sobre la cabeza. El idish es el idioma oficial, y por las calles pequeñas, empedradas, pasan las carretas. La actividad fundamental es la oración y alrededor de tan importante evento se organiza el resto de la vida. Sólo es distinto a la antigua *shtetl* por el mar que alarga sus costas. Pensando en eso me quedé dormido.

---

* *Peyies*, parte del pelo de los hombres que no se corta por motivos rituales y que suele caer por detrás de las orejas.

** *Yamulke*, pequeño gorro que sirve para cubrir la cabeza de los hombres para cumplir con el imperativo religioso de no tener la cabeza descubierta ante Dios.

Mi relación con Israel deriva de la religión. No soy ni fui sionista, pero hoy no sé... En términos actuales, la religión tiene una traducción sionista, pero no siempre fue así... el sionismo laico, por otra parte, quizá se convierta, para muchos, en la nueva religión. Lo que sí puedo afirmar es que en el inicio el sionismo era minoritario entre nosotros.

Muchos socialistas, bundistas, y también sionistas socialistas, emigraron a México. Todos creían que podían transformar el mundo. Yo no. Al principio veía con una cierta simpatía distante tanto ajetreo, tantos gritos y esfuerzos, pero ahora más bien me aburren. No creo que exista alguien que en su sano juicio pueda recordar los nombres de las decenas de organizaciones que se formaron y desintegraron a lo largo de los primeros quince años. Mucha movilidad para siempre acabar en el mismo lugar.

Las veía formarse y desintegrarse a distancia, como a un calidoscopio que nunca dejara de moverse, que nunca tuviera un momento de reposo. Otra fue mi actitud ante las instituciones comunitarias: el *Nidje Israel*, el Comité Central Israelita, las escuelas. En alguna ocasión incluso voté para elegir a los representantes en el Comité Central. Pero mi peregrinar por la República —Veracruz, San Luis, Tampico, Monterrey— no me permitió mayores compromisos.

Sólo la plaga nazi me obligó a trasladarme a Tampico, aceptando la comisión de auxiliar a los refugiados. Fueron pocos, pero me vi en los rostros de los recién llegados y descubrí en ellos mi primer asombro. Les serví de traductor, les ayudé a poner en orden sus papeles, los instalé transitoriamente en una pequeña casa alquilada, les indiqué dónde se encontraban y hacia dónde podían dirigirse. A los que llegaron de Italia o Alemania les explicaba que el gobierno mexicano, para no considerarlos ciudadanos de países enemigos, lo cual obligaba a recluirlos en campos especiales, los trataría como apátridas.

Veinte años después de mi llegada me tocó acompañar a nuevos emigrantes. El círculo de la vida se repite al infinito, aunque en apariencia todo cambia. Pero sólo en apariencia. Lo cierto es que llegamos gota a gota e hicimos una pequeña laguna. No fuimos conquistadores sino emigrantes. Si bien la mayoría venía a América, es decir a los Estados Unidos, ya sea el azar o la voluntad nos colocó en México, y después de un tiempo echamos raíces. Nos pusimos a trabajar y a edificar nuestras instituciones. A imagen y semejanza de nuestras respectivas *shtetls*, nuestras pequeñas ciudades, formamos escuelas, sinagogas, panteones, clubes, organizaciones, periódicos, quizá pensando en reconstruir nuestro pasado. No lo hicimos mal, pero el viento de México las ha hecho más luminosas, optimistas, libres.

En un principio, los Estados Unidos eran la esperanza. Pero la puerta para los inmigrantes se adelgazó y en lugar de una gran avenida se volvió un insensible embudo. El torrente que fluyó desde Polonia, Lituania y Rusia, fue obligado a pasar por un cernidor, y quienes por los designios misteriosos del destino se convirtieron en el número que rebasaba la cuota fijada por el Congreso, tuvieron que acogerse a otros refugios. De estación de paso, México se volvió estación de llegada, el punto final de la ruta, el nuevo y definitivo hogar.

9

Un hogar no exento de exotismo y misterio para quienes veníamos de los grises parajes de la Europa oriental. ¡Hasta con pirámides nos topamos! Y ellas eran parte de las visiones grabadas desde siempre. Pirámides, Egipto, *Mitzraim*, constituyen parte fundamental de nuestra historia. Esclavos, liberación, Moisés, desierto, El Pacto. Historia bien conocida. Pero hasta que no vi con mis propios ojos Teotihuacán no pude asimilar realmente lo que significa esa construcción faraónica. La pirámide del Sol, su majestad, armonía, fuerza; la de la Luna como acompañante fiel, distante testigo, y la disposición geométrica del espacio no pueden dejar de inquietar. Las recorrí deslumbrado. Los cientos de turistas que como hormigas pretendíamos llenar el espacio resultábamos nada ante la monumentalidad de las pirámides. Imaginé a Moisés en Teotihuacán y el éxodo partiendo hacia el noreste de la pirámide del Sol.

Todo, y puede parecer una exageración, me ha pasado en México. Hasta lo más extravagante. Aquí supe del nacimiento de un volcán. De repente, recordándonos que nada es definitivo, la tierra vibró, se estremeció, crujió y de su seno surgió un volcán que con furia inaúdita escupía lava y piedras. La vida a su alrededor fue sepultada y como un coloso, el volcán acabó por imponerse. Nada ni nadie lo podía detener. Nos recordó en forma majestuosa la fragilidad de los hombres. Donde se encontraban campos, casas, hombres y animales, se abrió paso una montaña superior a cuanta catedral han construido los hombres. El nacimiento y crecimiento súbito del Paricutín, es una de esas noticias que sólo se pueden leer por estos rumbos. Fue apenas ayer, y supongo que usted tampoco lo ha podido olvidar.

Pero lo extraordinario es lo accesorio de la vida. Y en México me encantó la rutina. Desde el inicio me fascinaron sus calles. Soy de un pueblo donde las actividades que usted puede realizar en toda su vida pueden contarse con los dedos de una mano. Y aquí, pasear por las calles, sumirse en el bullicio, observar rostros, vestidos, poses; incursionar por las tiendas, mercados, cantinas, vecindades, barrios, camiones, multiplica las posibilidades al infinito. He gozado el país. Su música, el cine, la comida. Desde el principio disfruté las pláticas con quien vendía fruta, conducía el camión, llevaba la leche, y escuché las historias más inverosímiles, las supersticiones más descabelladas, los juegos de palabras más luminosos. Quizá porque tuve que adentrarme poco a poco y como adulto a un novísimo idioma, pude exprimir el jugo de las palabras. Lo que he visto, lo que he oído... se necesitaría un barril sin fondo para acomodar todo, y al final, sus combinaciones serían infinitas y por ello irrepetibles.

¿Se da cuenta por qué su amable niña estaba destinada al fracaso? Ni las experiencias más anodinas pueden recuperarse. ¿Cómo contarle mi primera entrada al cine *Palacio*, el más caro de la ciudad? Mientras la entrada al *Regis* o al *Alameda* costaba entre uno cincuenta y dos pesos, al *Palacio* costaba tres. El espacioso *hall*, la dulcería, las cortinas, e incluso los baños, expresaban el esplendor de la floreciente industria cinematográfica. ¿Y cómo entendería ella, con sus prejuicios, que una historia anodina, si fuera auténtica, subrayada y salpicada de humor, se convierta en entrañable pasatiempo? Una historia donde el amor imposible se hace posible, y el emigrado libanés, luego de sufrimientos sin fin, es apreciado por todos. Pardavé es la película. Canta, baila, llora, aconseja, discute, ama, ampara a su mujer Sara García, estimula a su hijo Selim, ayuda a sus insoportables y futuros consuegros, y además pregunta conmovido: "¿No quiero a México como si fuera mi propia patria?".

¿La pregunta del Baisano Jalil le parece pueril y cursi? Pues no lo es. ¿Cuánta gente de la que usted conoce piensa al país como una esfera homogénea, como un monolito de costumbres y creencias? Si es así, los judíos no somos mexicanos. Pero si un país es un mosaico desigual de tradiciones, historias, culturas, sin duda somos mexicanos. Judíos-mexicanos o mexicanos judíos, una especie singular modelada por un viento irrepetible y contundente. Aprecio el orgulloso nacionalismo mexicano cuando hace referencia a su soberanía, a su autogobierno sin interferencias externas. Me preocupa, porque conozco sus derivaciones, cuando se confunde con chovinismo y xenofobia. El grito "¡Como México no hay dos!", por ejemplo, según el caso, puede ser una obviedad juguetona o una agresión velada, ambigua. ¿O piensa, como nuestra amiga, que mi paranoia me pierde?

Tardé en entender nuestro fácil aclimatamiento en el país. Muchos de los miedos originales nunca han dejado de ser malos sueños. Sin embargo, una perla casi invisible es la que explica, quizá, la benevolencia ante el extraño: *Estado laico y libertad de cultos*. Vértice de una compacta pirámide que fue abriéndose paso a punta de conflagraciones que cimbraron la tierra. Porque si una fe es la verdadera, si resume la palabra revelada, si los demás viven fuera de la gracia divina, si se encuentran ciegos por el error, ¿qué elección pueden hacer? Le digo, se trata de una auténtica joya de la civilización, es una frágil construcción de un relativismo que me parece chocante, pero que permite la convivencia. Cuando escucho: "México católico", "religión esencia de la nacionalidad", "la virgen que forjó una patria", inmediatamente pongo mis inexistentes barbas a remojar. El valor de la tolerancia y de la coexistencia de lo diverso pueden sintetizarse en la fórmula: Estado laico y libertad de cultos. Desde la minoría es fácil apreciar las bondades de ese pilar del edificio, desde la mayoría no sé.

¡Se da cuenta!, he vuelto a hacer un discurso. Parezco diputado ponderando las virtudes de la patria. Yo creo que también eso desesperó a nuestra buena amiga. ¡Con quién acabó topándose! Una auténtica sinfonola que nunca se detiene. El típico mustio que dice no saber nada y acaba pontificando sobre todo.

Pero no soy tan pretensioso, se trata de ataques retóricos fulminantes sin mayores consecuencias. La verdad es que la norma que ha regido mi vida se encuentra en el *Eclesiastés:* "Anda, come tu pan con gozo, y bebe tu vino con el corazón alegre, porque El ha aprobado ya lo que haces. Que tu vestimenta sea blanca en todo tiempo, y que no falte el ungüento en tu cabeza. Goza de la vida con la mujer que amas, en todos los días de vanidad que te fueron dados bajo el sol, porque esa es tu parte en la vida, por la cual te afanas. Haz con energía todo lo que tus manos vengan a hacer, puesto que no hay trabajo ni pensamiento, sabiduría ni conocimiento en el sepulcro a donde vas". Esa es mi ley, aunque me mortifica la última oración e incluso a ratos me parece blasfema. Pero no me distrae demasiado porque dice el *Zohar:* "si un hombre tiene un hijo en este mundo, no se siente solo en el mundo venidero". O como enseñó Rabí Zusia de Hanipol: "En el mundo venidero no me preguntarán: ¿por qué no fuiste Moisés?, sino ¿Por qué no fuiste Zusia?".

10

A fuerza de hablar y hablar, como deseaba la niña, terminábamos sin saber cuál era el centro y cuál la periferia. Todo quedaba fundido, confundido. Una especie de tamal de palabras era lo que amasábamos. Y ella se daba cuenta. Imagino que sus grabaciones eran como un alud que todo lo arrasa, empieza con una pequeña frase y acaba como un torrente de incoherencias. En ese mar no podía salir a flote y demandaba algo de qué asirse. Quizá como un último intento, trató de organizar la selva de palabras como si fuera el sistema solar. Buscaba un centro en torno al cual giraran las distintas actividades: las cotidianas y las excepcionales.

Resultó fácil encontrar el sol, pero nunca fuimos capaces de dibujar las órbitas de los planetas. Aunque en esa ocasión tampoco compartía el optimismo de ella, desde el inicio le dije que la sinagoga era el centro de nuestra vida, mejor dicho, de la vida de la gente de la primera generación de inmigrantes, porque los jóvenes, paso a paso, encuentran otros soles en torno a los cuales gira su existencia. Pero para nosotros el centro es la sinagoga, y en el centro de ese centro se encuentra la *Torá,* los cinco libros que componen la Biblia, que es el puente para la comunión con Él. La *Torá* es superior a todo, es la letra que da sentido a las cosas, separarse de ella es renunciar al obsequio mayor. Año con año se lee y relee y aunque no se le comprenda cabalmente sirve para aproximarse a Él. Eso sobra y basta. Es nuestro soporte, nuestra certeza, nuestro horizonte.

Pero ¿más allá del centro, qué? Cómo ordenar nuestras fiestas, instituciones, anécdotas, relaciones familiares, especulaciones, hechos, leyendas, distracciones, y lo que ella llamaba las supersticiones. Al final llegábamos al principio. ¿Cómo unir, sin forzar las cosas, mis comentarios sobre películas, panteones, cristeros, mercados?

En el borde de la derrota, intentó un salto desesperado: convertir al estudio en un relato. Pero, ¿un relato de quién? A México llegamos mi mujer, mi hijo, el samovar y yo. Decía, "tengo que optar por alguno de esos personajes". Y empezaba a enumerar y poner peros. "El niño al llegar es demasiado inocente y habría que esperar a que creciera para poder decir algo interesante sobre él". Así que lo descartaba. "Su mujer —me decía— se me aparece como una sombra, la de usted, y luego será la de sus hijos. Seguirla puede ser un desafío entrañable, pero por el momento no logro divisarla con claridad, escondida, como está, tras su vigorosa espalda". En un momento se atrevió a explorar esos rumbos y de su esfuerzo solamente me quedé con esta nota: "Una sombra lo acompañaba. Era su mujer. Protectora en ocasiones, indomable en sus días de terquedad, no acababa nunca, sin embargo, de desprenderse. Sus rumbos eran los mismos y por más desavenencias y pleitos entre ellos, se encontraban asidos a la tierra como la sombra y el árbol. Cuando el sol se encuentra en el cénit, el árbol ve cómo se achica y se apretuja la sombra sobre su mismo tronco, pero cuando el sol empieza su caída, la sombra se extiende, llega a duplicar el tamaño del árbol, y parece que paulatinamente encontrará su propio camino. Pero no. Se contraiga o se dilate, el encuentro de ambos (sombra y árbol) es ineludible. Había caminado sobre montículos plagados de grandes piedras, y entonces la sombra se quebraba, parecía una capa doblada por bisagras invisibles, pero no lo abandonaba. Se había parado de cara al sol para dejar bien atrás a su propia sombra, que parecía huir horizontalmente, pero seguía cosida a sus tobillos. Acostado sobre la tierra, pegándose a ella como a una amante, creyó que la sombra desaparecería, pero un pequeño hilo negro reposando al lado de uno de sus costados lo desmintió. Tal vez, al llegar la muerte, cuerpo y sombra podrían al fin romper sus lazos". Si desde el esbozo no podía ella pensar en mi mujer sino como un apéndice mío, pues también se veía obligada a descartar esa opción. "El samovar —decía— como en aquella película de Hollywood, donde un smoking es el hilo conductor de la trama, puede ser nuestro protagonista central". Pero luego de especular algunos minutos con esa posibilidad, concluía autoderrotada: "pero pronto se convierte en una cachivache inservible. Cierto que en él, durante algunos meses, se siguió haciendo té, pero un samovar en Veracruz acaba por ser un trasto inservible. Podríamos esperar algunos años, décadas, cuando el armatoste dorado volviera a ocupar el centro de la atención gracias a las disputas familiares por heredarlo... pero mientras, ni modo que su historia sea como la de la muñeca fea, escondida en un rincón". De esa forma, por exclusión, volvíamos a mí. El personaje central de su relato era un emigrante de unos veintidós años que pisa tierra nueva con infinitas esperanzas y nulas certezas.

De esa y de otras mil maneras volvíamos al principio. Yo tomaba cualquier tema para alimentar sus expectativas. Le contaba, por ejemplo, que al inicio había muchas discusiones, incansables debates. A cada rato invitaban a mesas redondas, conferencias, pleitos disfrazados de intercambio de opiniones. Nunca fueron de mi agrado y solamente asistí a uno que otro por compromiso. Lo que no me perdía, cuando tenía tiempo para ir, era el teatro. Se representaban obras en idish que eran una delicia. Recuerdo una compañía de actores jóvenes que puso en escena algunos cuadros de *Tevie der miljiquer*, Tevie el lechero, que nos hizo llorar como si fuéramos plañideras y reír como locos. Lloramos cuando Tevie es obligado a bailar el *berltanz*, el baile del oso, y reímos con los diálogos de Sholem Aleijem. Lea a Sholem Aleijem y podrá entender algo del universo anímico de la primera generación de emigrantes.

Ese tono anímico era el que le permitiría comprender buena parte de los episodios que le narraba, y el significado, se lo digo como botón de muestra, de nuestras festividades trasplantadas a México. Por ejemplo, el *séider*, la cena ritual para conmemorar la salida de los judíos de Egipto, con la familia reunida —hijos, hijas, yernos, nueras, nietos—, resulta una maravilla. Un día por el que bien vale la pena vivir. Debo decirle que yo mismo preparo el vino, el *maror*, las *jarozet*, y mi mujer el *gefilte fish*, el pollo, la ternera, el *jreim*, las *karpas*, los huevos cocidos*. Leemos la *Hagadá de Pésaj*, el texto que relata el abandono de la esclavitud y la ruta hacia la libertad; rezamos, cantamos, comemos, y luego de tres o cuatro horas, acabo rozagante, feliz.

El día que mi nieto mayor preguntó por primera vez, con voz débil y sin pausa ni cadencia, las *cashes*, las cuatro preguntas rituales que hace el menor de la mesa a quien preside la ceremonia, el pecho se me expandió, los labios dejaron ver una inmensa mazorca de dientes, los ojos resplandecieron. Inicié las respuestas y lo hice con un cuidado que había perdido en los últimos años. Ahora, hablaba más lento, con énfasis especiales, gozando cada palabra. Pero cuando noté que mi nieto permanecía impasible, sin entender una sola palabra, asimilé de pronto el océano que nos separaba. Tuve que reiniciar entonces la explicación en español, pero ya no era lo mismo.

El no habla idish y yo hablo mal el español, pero si escucha a mi mujer y compara, me convertiré en Cervantes. "Se me foí" y "me se fue" por se me fue, "tzu uno tzu otro" por uno u otro," a la voilta" por a la vuelta, las cosas no son nuevas sino "noivas",

---

* Durante el *séider* se deben comer distintos alimentos que simbolizan diferentes facetas de la festividad: El *maror*, hierbas para rememorar los tiempos amargos que los judíos experimentaron en Egipto; *jarozet*, mezcla de manzanas, almendras, nueces, y vino que representa los ladrillos y el mortero utilizado por los judíos para realizar las forzadas labores que les impusieron; *karpas*: verdura que puede ser lechuga, apio o rábano, con el mismo significado que la hierba amarga; *huevo cocido*, que representa la vida, además de simbolizar el duelo por la pérdida del "Segundo Templo" (*Reflexiones*, publicación de Tribuna Israelita, México, s.f.). Además el *gefilte fish* es una fórmula tradicional judía de preparar el pescado y el *jreim*, una salsa picante de raíz.

el apetito se reduce a "apetit". Pero, bueno, no debería presumir demasiado, mis hijos dicen que también hablo un español delez-nable. "Treinta años en México", se sorprenden, "y todavía no puedes pronunciar... el nombre de ese volcán que se ve desde México".

Y es que los idiomas se nos convirtieron en un lío. No hablo hebreo. Tampoco mis hijos. En la casa aprendieron el idish que es nuestra lengua, la que nosotros también aprendimos en la casa y en la calle. Y ahora, con la fundación del estado de Israel, en las escuelas los nietos aprenden hebreo. Pero nosotros nunca lo hemos practicado. No es nuestro idioma; sólo a través de la religión nos conectamos con él.

Y la lengua es sólo parte de la educación. En el Distrito Federal mis hijos fueron al Colegio Israelita, pero mientras estuvimos rodando por la provincia asistieron a distintas escuelas. Fue quizá uno de los problemas mayores. Lo único que les podía dejar era educación, y no cualquier educación, y no era fácil conseguir buenos colegios. El mayor no finalizó la primaria porque tuvo que ayudarme de inmediato a mantener a la familia, pero hicimos lo posible porque los demás estudiaran. Ninguno acabó una carrera, pero los más chicos estudiaron más que los grandes, y ambos más que yo. Así que no estuvo tan mal. Además de que lo principal de la educación se mama en la casa.

12

Como puede usted observar, intentamos resolver el problema por infinidad de vías. Pero el fracaso fue rotundo. El "archivo de la palabra" ciertamente crecía al incorporar palabras sin fin, pero su sentido no era claro. No puedo reproducir todas y cada una de las opciones que exploramos, pero sí me acuerdo del último intento descabellado que propuso nuestra niña. "Permítame tratar de confeccionar con su testimonio un relato escrito desde mi perspectiva, una narración como si se tratara de una novela y usted fuera el personaje central. Sus recuerdos serán la columna vertebral del texto, pero la nueva fórmula me permitirá mayor libertad". Como usted puede ya suponer, volví a estar de acuerdo, no porque confiara en la nueva brújula, sino porque a esas alturas, era incapaz de negarme a cualquier solicitud.

Se ausentó entonces dos o tres semanas para trabajar en unos primeros esbozos antes de continuar con nuestras charlas. Fueron días que pasé envuelto en una gran expectación. ¿Cómo aparecería en medio de una novela? Si como personaje de la vida real no me sentía muy convincente, imaginaba el maniquí en el que me convertiría en su relato. De todas formas esperaba con un cierto cosquilleo la imagen que ella se había hecho de mi.

El día que regresó no traía ya su grabadora, sino una carpeta azul impecable, con un rótulo elegante y sobrio que en grandes letras negras anunciaba "Viñetas". En varias hojas había mecanografiado, según ella, episodios de mi vida. Y ahora deseaba ponerlos a mi consideración. Sentada a la mesa, y tamborileando con los dedos de la mano, inició la lectura.

"A los Camisas Doradas les vamos a dorar las nalgas". Fue la frase que retuvo de la reunión. Se ve como un hombre poderoso, alto, fornido, que destaca del resto por unas manos que parecen tenazas. De espaldas o con los ojos cerrados —porque su brillo delata una vocación apacible— parecería un boxeador, quizá un maleante.

"Se reunieron, en secreto, en un cuarto de la Lagunilla. Discutieron las agresiones contra sus paisanos que tenían tiendas en las calles de Brasil y decidieron darles su merecido a los Camisas Doradas. Cerró los puños, bajó la vista y escupió.

"Varios días él y sus amigos deambularon por las calles céntricas. Eran diez o doce que se paseaban por una especie de guía de América Latina: Brasil, Venezuela, Argentina, Honduras, eran los rumbos de sus guardias. Caminaban en parejas y habían convenido un silbido como contraseña. Por fortuna, a los agresores no se les ocurrió volver a incursionar. Porque la verdad, convertirse en golpeador, así fuera en defensa propia, le parecía deprimente".

Cuando levantó los ojos para observar mi rección se encontró con un rostro pasmado que dejó de escucharla desde que le reventó los tímpanos el cañonazo sobre las "nalgas". Y no crea que soy un monje o un mojigato. Lo que sucede es que un hombre de mi edad y una niña, tan frágil y candorosa, no deben hablar entre ellos como si fueran cargadores.

Pero lo más sorprendente de todo resultaba que al modificar la plataforma de observación, al trasladarla de mi testimonio hacia su versión, todo acababa por verse de distinta manera. Ese episodio real para defendernos de los Camisas Doradas nunca lo hubiese yo contado de esa forma, como si se tratara de un pleito entre pandillas, pero ella tampoco podía narrarlo desde mi perspectiva. Resultaba evidente que esa minúscula modificación del puesto de observación trastocaba el escenario completo con todo y actores.

Era incapaz de juzgar sus "viñetas". A fin de cuentas era lo que ella observaba, pero tenía certeza de que no podía compartirlas. Y esa convicción se afirmó cuando abordó el tema de la muerte. "Sólo una sábana blanca tendida se encontraba entre él y el piso de mosaico. Extendido, inerme, otra sábana lo cubría de pies a cabeza. Sobre el abdómen un plato con un pedazo de pan, y en los cuatro costados unas botellas de refresco vacías sobre las que extendían sus pequeñas llamas unas velas tristes.

"Era el final.

"Si reviviera sentiría el frío del mosaico en su espalda, el ahogo que produce la tela que cubre el rostro, y el calor de la vela más cercana a su cabeza le haría extender una mano para apartarla".

Yo le había contado la forma en que velamos a nuestros muertos y ella imaginaba una historia de vampiros.

13

Fue entonces cuando nuestros encuentros se empañaron. Ambos hacíamos un esfuerzo, pero ella había llegado a mi primera opinión: no resultaría. Las citas se asemejaban a esos inclementes viajes en tren. Usted sabe, el tren y su trac-trac continuo puede disfrutarse. Uno se deja ir, contempla el paisaje, piensa en todo y nada, mezcla imágenes e ideas, mientras el ferrocarril trabaja y no puede escapar de su propio trac-trac. Pero imagine viajar, como en alguna ocasión me sucedió, con los vidrios rotos por donde se filtra, toda la noche, un viento hiriente que obliga a taparse con sacos, bufandas y cobijas. La madera del asiento, luego de un tiempo, se empieza a incrustar como quejándose de sus pasajeros, y mi hijo, entonces de dos años, se despierta, se aburre y demanda, con un llanto potente, agudo y angustiado que cese la monotonía. Pero eso no era nada, más bien era lo común. Frente a nosotros, como suele viajarse en los trenes, viéndonos a las caras, dos hombres mofletudos, comiendo y tomando como cerdos, tirando papeles y restos de comida al suelo, roncando mientras dormían, y con esas miradas retadoras que le reclaman a uno "¿qué me ves?". En todo el trayecto, de más de 24 horas, nuestras miradas se habrán cruzado mil veces —¿cómo no hacerlo si estábamos sentados frente a frente?—, pero en ningún momento intercambiamos ya no una palabra, sino simplemente un gesto de cortesía. De aquella travesía suelo acordarme cuando viajo en autobús, y agradezco al que inventó la posibilidad de recorrer grandes distancias sin tener que ir mirando las caras de otros hombres.

Una incomodidad similar, sé que exagero demasiado, se instaló entre nosotros. No podía seguir contándole historias sin fin, sabiendo que el fracaso estaba sentado a nuestro lado. Ella, por su parte, perdió la chispa de su mirada cuando reconoció que todo había sido un largo recorrido hacia la nada.

No existe algo más triste que una ilusión acabada. Mientras la esperanza se mantiene, se goza de un ánimo y una paciencia infinitos. Pero cuando se termina, como cuando al globo lo abandona el aire, el aliento y la confianza se escapan. Así veía a nuestra niña, y yo, como un espejo, le alimentaba su abatimiento e impotencia.

Tratar de reanimarla sabiendo que todo su trabajo resultaba vano, era tarea imposible. Pero mi impertinencia no tiene límites e intentaba consolarla sin ningún tacto.

Empecinado en reconfortarla, sólo lograba aumentar su pena. Porque cuando uno quiere socorrer en esos casos, y nada más puede maquillar el desplome utilizando métodos distractores, logra exactamente lo contrario: ahondar la desolación. Cuando la causa de la aflicción es inamovible todos los esfuerzos son inútiles. ¿Sabe que cuando los padres, hijos, mujer o esposo, se sientan en *shibe*, en duelo durante siete días, no se acostumbra que quienes van a dar el pésame digan nada? Porque, ¿qué se puede decir? Cualquier frase resulta hueca, impertinente.

En esas circunstancias ella tomó la única decisión posible: dar fin a nuestras entrevistas. Un día llegó a la casa. No traía nada en las manos y quizá fuera la primera vez en que no cargaba carpetas o grabadora o un libro o... "Creo que usted tiene razón. Este trabajo no dará resultado. Por eso lo mejor es poner un punto final a mis intenciones". Y como yo compartía su convicción, no encontré ni siquiera un gesto para desmentirla. Por segunda vez nos despedimos en forma definitiva.

III

*Recuerda, entrégate voluntariamente al recuerdo, no lo desdeñes,
es lo más verdadero que tienes, y todo cuanto se te pierda en el
recuerdo, estará perdido, y para siempre.*

Elias Canetti

1

S entí su ausencia. Recordaba con gusto las tardes que pasamos platicando, sus grandes ojos, su sonrisa a veces irónica y en ocasiones cínica, pero sobre todo su rostro expresivo que reaccionaba con gusto, sorpresa o enojo a las mil y una ocurrencias que le contaba. Tengo la impresión de que para ella esas tardes resultaron también algo más que simples sesiones de trabajo. Cuando nos olvidábamos de la grabadora y las preguntas, nuestras conversaciones vagaban libremente, ligeras, amables. Encadenábamos dos o tres chistes, reíamos de buena gana y convertíamos su tarea en una actividad placentera.

La extrañaba. Para qué negarlo. Aunque el interés de ella por mí fuera "científico", era de todas formas interés, y eso no es poca cosa. A pesar de mis poses que lo negaban, me sentía importante, alguien cuya vida tenía significado, pero sobre todo, a fuerza de platicar y platicar se estableció entre nosotros una corriente de afecto, de estimación, que por sí sola justificaba nuestros encuentros.

¿Cómo no añorarla entonces? Incluso sus impertinencias se convertían en juegos en mi memoria, y sus enfados aparecían como rabietas de niños. Me preguntaba cuáles serían los efectos de su derrota, si lograría reponerse y emprender otro proyecto o si la mala experiencia amargaría alguna zona de su vida. Me la imaginaba triste, melancólica, apagada, y no podía eludir mi responsabilidad. Si hubiese encontrado un informante más serio, ordenado, claro, de seguro sus resultados serían otros. Pero al toparse con un viejo parlanchín e incoherente su derrota había sido inevitable.

En esos momentos sentía remordimientos. Tenía la impresión de que mi vanidad se había impuesto a sus necesidades, que hablaba no para atender sus preguntas sino para descubrir mi importancia. Entonces me invadía el mal humor, explotaba en mí ese tono sordo y gris que sin direccionalidad aparente se apodera de todo.

Yo le había trasmitido el sentimiento de inutilidad que clausuró sus esfuerzos. Ella me enseñó que las vidas de los otros, bien contadas, quizá pueden arrojar alguna luz sobre el sentido del tiempo.

Imaginaba el informe que la niña entregaría a sus maestros sobre su dilatado e infructuoso trabajo. Y pensaba que alguna excusa tendría que inventar para su fracaso, porque uno no puede presentarse ante sus superiores y decir simplemente "no puedo". Quizá inventaría mi muerte, con lo cual la coartada sería radical e irrefutable. "Por medio de la presente deseo informar a ustedes que no lograré terminar la entrevista que realizaba al señor M. Por desgracia murió en el momento en que los datos por él proporcionados empezaban a tomar forma. He transcrito —con la mayor fidelidad posible, retocando el deficiente español de nuestro informante— las grabaciones. Sin embargo, esos materiales no permiten armar un expediente profesional, científico, porque nuestro informante, al cual entrevisté en repetidas ocasiones, si bien hablaba demasiado, resultaba difícil de seguir ya que era sumamente desordenado. Divagaba por los más extraños caminos lleno de prejuicios e incoherencias".

La coartada le podía funcionar ante los demás. Pero supongo que ella se sentiría apagada, incompetente, inútil.

Cuando no se puede llegar al objetivo uno no siente que se ha quedado a la mitad del camino, sino que retrocede más allá del punto de partida. Como solía decir Rabí Aarón de Karlín, "si un hombre no mejora, empeora". No hay punto medio, no existe el estancamiento. No se puede aspirar a dejar las cosas congeladas, estáticas, para después retomarlas. Detenerse mientras todo cambia resulta fatal.

Las famas actuales, tómelas como ejemplo, petrificadas, no

serán nada en veinte años. Piense en las que hoy nos circundan. ¿Alguien recordará a Juan C. Carrera como campeón goleador? ¿Qué dirán de *El niño y la niebla*, ganadora del Ariel a la mejor película? Supongamos que al licenciado Eduardo Chávez, secretario de Recursos Hidráulicos, no le soplan buenos vientos en el próximo sexenio, ¿alguien se acordará de él? Por eso la historia de lo efímero carece de sentido. Algún día le recomendé a la niña intentar una historia de lo que no cambia, de lo que permanece, una historia de lo inmutable, una no-historia. Por ejemplo, de la alfarería, de la ebriedad, de la forma de cargar a los niños, de la risa.

Me decidí a hablarle por teléfono. Creo que al principio se escondía. Marqué un día, no estaba; al día siguiente, tampoco, dejé recado, no se reportaba. No deseaba hablar conmigo. Es posible que me hubiera excedido y ahora quería reposar. Pero no resulta fácil derrotar a un viejo terco. Insistí, hasta que tuvimos una conversación similar a ésta:

—¿Cómo ha estado?

—Bien.

—¿Y su trabajo?

—Abandonado.

—No es justo que se olvide de mí, además de su informante soy su amigo.

—Gracias.

—Algún día debería visitarme sólo para conversar.

—Gracias, que esté muy bien.

Más cortante, imposible. Pero por lo menos se había animado a contestar. El resto era labor del tiempo.

Suponía que algo de afecto la movería a encontrarme de nuevo. Y si el afecto no existía, por lo menos la curiosidad. Dicen que la curiosidad mató al gato, y mucho hay de cierto. Tras el afán de conocer, que tanto ostentaba nuestra niña, se encontraba el verdadero combustible, y no era otro que la cosquilleante curiosidad. Las ansias de asomarse al mundo de otros, de corroborar, modular o negar rumores dispersos, leyendas imprecisas, prejuicios de todos colores y sabores. Se trata del mismo acicate que mueve a misioneros y antropólogos, que en no pocas ocasiones han quedado encantados con sus infieles e indios. Al principio es una curiosidad no exenta de superioridad, "vamos a observar a estos pobres...", "vamos a ver qué tan alejados se encuentran de nosotros", pero quizá nuestra amiga, una niña sensible, poco a poco empezó a dejarme de observar de arriba hacia abajo. Quizá había logrado distanciarse de esa mirada lejana, en busca de exotismo, esa mirada es la que iguala a buena parte de los viajeros que se remontan a tierras desconocidas. Ella se había animado a explorar una isla distante y a lo mejor su curiosidad no estaba saciada. Si no me equivocaba, entonces volvería.

2

A partir del nuevo reencuentro, nuestras pláticas cambiaron por completo. Si antes nos veíamos hasta dos o tres veces por semana, ahora los encuentros, si se producían, eran cada mes. Si antes eran programados, ahora eran irregulares. Si antes nos acompañaban la grabadora o las tarjetas, ahora el enfrentamiento era sin esas armas. Si antes ella mostraba una compulsión por no abandonar ni un momento su tema central, ahora hablábamos de todo, del mar y sus pescaditos. Habían perdido su intensidad original, pero al ser más relajadas resultaban más agradables. Simples conversaciones de amigos.

A ella le encantaba la música veracruzana. Conocía mil y un sones y le gustaba traer a colación alguna copla para ilustrar una idea. Se extendía con placer en sus comentarios. "En los conjuntos jarochos —decía— las cuerdas son todo. Arpa, jarana y guitarras. Los músicos, vestidos de blanco, hasta los zapatos, parecen siempre más frescos que aburridos. *El son del tilingolingo es un ritmo sabrosón/que se baila con el ritmo/de la bamba y el danzón.* El arpa destila la música, la acentúa. Las voces reniegan del virtuosismo y se lanzan a una carrera sin meta. Las guitarras acompañan entendiendo que la fiesta requiere de ánimo. Y la jarana hace volar a la mano como si se fuera a desprender del brazo. *Este es el jarabe loco/que a los muertos resucita,/que a los muertos resucita/este es el jarabe loco.* La actitud ante la muerte... *Salen de la sepultura, meneando la cabecita...* En relación a la muerte, nuestras reacciones no podían ser más contrastantes. Ahora le parecerá que yo hablo como turista, como si no llevase treinta años en el país... pero es que nuestro pasmo y miedo ante el fin es tal que ni siquiera nos atrevemos a nombrarla, y se encuentra en las antípodas del tono burlón, jocoso y hasta retador que se desprende de ese *Jarabe Loco.* Cierto que ante la muerte en singular no existen distingos, todos nos desplomamos por igual, pero el tratamiento genérico del tema es absolutamente distinto, en los extremos.

Ella empezaba con la música jarocha, yo saltaba a la muerte y la guiaba —digamos— hacia un panteón.

Recorrer hileras de lápidas con cruces hasta llegar a un pequeño terreno reservado. Ahí, en un costado, se encuentran las piedras labradas que dan fe de la muerte de tres personas. Son los primeros judíos enterrados en Monterrey. Su muerte ha sido natural. La desembocadura del mar de la vida es un cementerio. Pero además, ese mundo de piedras y recuerdos resulta elocuente para medir la densidad y las raíces de una comunidad. Por lo pronto, las tres tumbas atestiguan un germen, que de no desarrollarse dejará a esos tristes muertos más solos aún de lo que están. Por contraste, basta ver las fotos, pinturas y dibujos del panteón de Praga. Las lápidas voluminosas, desiguales, como talladas con furia, parecen balancearse. Unas, seguramente cansadas, se apoyan en sus vecinas, otras se encuentran erguidas desafiando al tiempo, las que han caído parecen recostadas, agotadas, quizá violadas, con sus entrañas al aire, las hay quebradas para constatar que la roca tampoco es inmune a la erosión del tiempo.

Un cementerio es la síntesis de una historia y de la densidad de una tradición. Llorar a los muertos o ser enterrado ahí puede ser un privilegio, porque uno se siente parte de un océano que, a pesar de sus ventiscas o huracanes, se mantiene en armonía y calma. Pero aquí, en Monterrey, las aguas todavía no pueden formar siquiera un pequeño arroyo.

No podíamos apartarnos de nuestros temas, pero ahora eran sólo pláticas para pasar el rato, ella no tenía la necesidad de retenerlos ni yo la obligación de ordenarlos. Saltábamos, sin preocupación de las noticias del día a historias lejanas y extrañas. Lo mismo comentábamos la entrevista Ruiz Cortines-Eisenhower, la compra de nuevos tranvías para el Distrito Federal, la ampliación de la avenida Parque Lira o el triunfo de los niños beisbolistas de Monterrey en Williamsport, que nos entreteníamos recordando o inventando historias de la Inquisición.

En esas pláticas, sin ton ni son, sin previo aviso aparecía con toda la pompa del caso don Pedro Moya de Contreras, inquisidor mayor de la Nueva España por voluntad de Su Majestad Felipe II, haciendo su entrada triunfal a la Ciudad de México, futura Ciudad de los Palacios. Su Santa Comisión: instalar por estos rumbos, alejados de la Madre Patria pero cercanos a Dios, el Santo Tribunal de la Fe. Anuncia a los devotos vecinos, a través de pregoneros que recorren la ciudad entusiasmados, la celebración de una santa misa, sermón y juramento que deberá llevarse a cabo en la Catedral, a la que es obligación santa asistir, bajo pena de excomunión. El día señalado, entre trompetas, chirimías, sacabuches y atabalas, marcha una enorme multitud entusiasta hacia la iglesia mayor, presidida por los funcionarios del Santo Oficio. Al doctor Moya de Contreras, en esa fecha fundacional, lo acompañan el virrey Enríquez y el oidor Villalobos, decano de la Audiencia. Los estandartes de damasco carmesí y cruces de plata y oro, dan colorido a la procesión y una enorme cruz, tan grande como un trueno, espera a la comitiva fuera de Catedral. Al entrar la multitud se hace compacta. Luego de la santa misa y el sermón, desde el púlpito engalanado, se da lectura solemne al mandato de Felipe II para que se preste todo el auxilio necesario a la sagrada tarea del inquisidor; también se lee el juramento de don Pedro Moya de

Contreras, obligándose a actuar con rectitud, honorabilidad y guardando en secreto los asuntos de su Santa Misión. Siguió entonces la ceremonia del solemne juramento colectivo donde los presentes, arrodillados y levantando la mano derecha, se comprometieron a no permitir herejía alguna y denunciarlas, cuando tuvieran noticia, ante el Santo Oficio. Luego juraron el virrey, los oidores, los regidores. Después de la Santa Ceremonia se mandó publicar, por todo el extenso y variado territorio, el edicto general donde se ofrecía un término de gracia de seis días, para que hombres y mujeres, culpables de herejía o de apostasía o de guardar o hacer los ritos y ceremonias de los judíos u otros cualquiera contrarios a la religión cristiana, se presentaran a abjurar de ellos. Si así lo hicieren sólo se les darán penitencias saludables para sus almas, sin recurrir a la muerte, la prisión perpetua o la conculcación de sus bienes. Así, con la fastuosidad y la ceremonia que el Santo Día reclamaba, el 4 de noviembre de 1571, fecha gloriosa, quedó establecida la Inquisición en la Nueva España.

3

Hablando, nos fugábamos. Caminábamos al azar sin ningún fin. Resultaba grato conversar por el placer de hacerlo, sin la presión de llenar un cuestionario. Me gustaban su compañía, sus elocuentes reacciones a mis habladurías y las expresiones con las que subrayaba cualquier comentario. Vea a quién habla. Si usted no mira sus ademanes, sus gestos, realmente no lo está escuchando. La palabra nunca aparece desnuda, siempre viste ropajes diversos que la acompañan para darle cabal sentido. Usted verá cómo el tono, la fuerza, las inflexiones, modulan la voz como las manos del artesano al barro. Pero además, los movimientos de las cejas, la boca, los ojos, las manos, el cuerpo entero, la proyectan por direcciones que la sola palabra no puede dirigir. Si usted no mira a quien habla, puede ser engañado o quizá no logre comprender lo que le están diciendo. Y ella gesticulaba con tal fuerza que su capacidad de persuasión se multiplicaba. Sus movimientos y muecas no eran exagerados en extensión sino en intensidad y sólo verla hablar, ¡verla hablar!, era un espectáculo mayor. Sus expresiones eran a sus palabras lo que el trueno a la tormenta o la música de fondo a la imagen en las películas. Como usted se habrá dado cuenta, las películas suponen que el silencio le es ajeno a la vida. Y mucho hay de cierto. En la película de mi vida habría que colocar infinidad de ruidos ambientales y un radio que en forma permanente construyera el fondo musical. Fernando Fernández cantando *Hipócrita*, sencillamente hipócrita, Emilio Tuero, por vivir en *Quinto Patio*, Tito Guízar, *Adiós Mariquita linda*, ya me voy porque tú ya no me quieres, Toña la Negra, *Negra, Negra consentida*, reina de mi vida, quién te quiere a ti, Guty Cárdenas, yo sé que *Nunca* besaré tu boca, tu boca de púrpura encendida, Agustín Lara, mi *Rival* es mi propio corazón por traicionero, yo no sé como puedo aborrecerte si tanto te quiero... La gente puede no saber leer ni escribir, pero no hay quien no conozca dos docenas de canciones "de ayer, de hoy y de siempre".

La música se conjuga con todo. La plaza, el kiosko, la música. Los domingos en Veracruz solía tocar la banda de Marina y en ocasiones un conjunto jarocho. La plaza se llenaba de paseantes, el kiosko era adornado con tiras de papeles multicolores y la música se convertía en la excusa para dar la vuelta, comprar dulces, encontrar algún conocido. Solía ir toda la familia, y al igual que los demás, dábamos infinidad de rodeos al kiosko. Las noches eran frescas, por lo menos así las recuerdo, y sólo observar a los vendedores con su feria de mercancías constituía un pasatiempo inmejorable: los novios tomados de las manos, los grupos de hombres o mujeres, por separado, ellos fanfarrones y gritones, ellas cuchicheantes y propias.

No sé si con el afán de molestarme ella empezó a decirme que yo hablaba como describiendo estampitas. Yo hacía un comentario como el anterior y la niña voceaba "¡la plaza!". Al inicio ella me obligaba a filtrar mi vida a través de tarjetitas y ahora, cuando le entregaba material, ella me lo recriminaba. Asumía el papel que al principio yo había representado, y según ella mi actitud no dejaba de ser pintoresca.

"Ya tengo una colección de sus estampitas", decía, y empezaba a jugar a su propia lotería.

"¡El mitín!". Banderas rojas, la Virgen y un cuadro de Zapata pintado a mano, presiden la marcha de unas cuantas docenas de campesinos. Una pequeña banda, donde destaca un enorme tambor, suena como un río de metal. No son más de ocho músicos, pero alcanzan un volumen que no superaría el ruido de una locomotora. Los marchistas se ven agotados, y de vez en vez, se reaniman con unos tragos de alcohol. La gente voltea a verlos con curiosidad y reserva. Llegan hasta el kiosko y se colocan del lado de la sombra que ofrecen los frondosos árboles. Suben al kiosko solamente cuatro. Tres cargan estandartes: Zapata, la Virgen, una bandera roja, y el otro empieza a hablar. Quienes sostienen la bandera y las imágenes se mantienen firmes, petrificados como estatuas, mientras el otro arenga a sus compañeros. El resto de quienes estamos en la plaza no comprendemos nada. ¿En qué idioma hablarán? ¿Qué tanto entendemos de México?

"¡El mal de ojo!". Para el mal de ojo un listón rojo. No se ría. Concédame el beneficio de la duda. Hay quienes tienen miradas que hacen daño. Esos ojos profundos como cavernas, rodeados de un halo azul o morado, que parecen observar desde el abismo, o aquellos otros, saltones como los de una hormiga, que desbordan el rostro queriendo penetrar en los objetos que acechan, han causado no pocas dolencias y enfermedades. El cuerpo y el alma resienten la punzada, reaccionan ante esas miradas de arriba abajo que a veces sin querer, y otras queriendo, agreden y perturban. Todos mis hijos, durante un tiempo, cargaron entre sus ropas un listón rojo. Total, nunca está de más, ya sabe usted que lo que no mata, engorda.

"¡Doña Santa!" o "¡El Cine Monumental!". *Santa* fue la primera película hablada que vi. Creo que en el cine *Monumental*, el más lujoso de la ciudad de México. En aquel entonces cobraban un peso o uno veinticinco cuando la mayoría costaban treinta centavos. Usted podía asistir a cualquier otro cine, al *Rialto*, *Teresa*, *Lux*, *Bucareli*, *Imperial*, pero en aquel entonces el *Monumental* era algo fuera de lo común, un auténtico palacio. Más que al espectáculo de las imágenes, al que ya estábamos acostumbrados, eran los sonidos de la pantalla lo que atraía a la gente. El juego de luces y sombras reproducía, ahora, las voces de los personajes mientras nosotros manteníamos la boca abierta. Y Santa, ¡vaya título provocador y ambiguo!, me pareció un claro anuncio de los nuevos tiempos. Imagínese usted la escena: varios cientos de personas mayores, hombres y mujeres, se congregan en una gran sala céntrica, casi un palacio, para ver y oír, ampliada en la pantalla, una historieta de prostitutas, toreros, ciegos y desgracias.

Me inhibían un poco sus estampitas. Creo que a nadie le gusta aparecer como un personaje de la lotería: petrificado y con los rasgos exagerados: ¡El valiente! ¡El catrín! ¡La dama! ¡El borracho! ¡El judío!

5

E n estricta defensa propia, le dije un día:
—Quizá usted prefiera oír lo que callo a lo que digo. Es natural. El silencio y los silencios pueden ser más elocuentes y persuasivos. Pero las razones del silencio son más complicadas que las de las palabras, y en ocasiones ni siquiera sabemos el porqué callamos lo que callamos.

Pero ella desactivaba mi solemnidad.

—Entonces cuénteme lo que no me ha contado— y estallaba en una provocadora carcajada. Porque si he de serle sincero, la niña —como ya se habrá dado cuenta— tenía una enorme facilidad para tirarme de la lengua. Episodios borrados de mi memoria reaparecían bajo sus conjuros. Era capaz de crear un ambiente que succionaba mis recuerdos, los que al volver a ser revividos me resultaban un tanto ajenos e incluso no sabía ya si se trataba de sueños o realidades, evocaciones o presencias. A base de acumularlos y ponerlos sobre la mesa, era incapaz de saber si eran muchos o pocos, si tenían la consistencia de una nube o la de un yunque. Conforme reaparecían, el trayecto daba la impresión de una cadena de casualidades. O quizá estaban entrelazados por un hilo invisible. No podía afirmar que el camino tuviese alguna meta, pero tampoco resultaba claro que todo el recorrido careciera de puerto de llegada. A lo mejor me había perdido en algún recodo. Lo cierto es que todo se encontraba definitivamente en el pasado, atrás. ¿Pero si los episodios se mantienen en la memoria? ¿Si se niegan a morir? ¿Cómo los podemos enterrar?

Por ejemplo, en los inicios de los treintas, como ya le conté, éramos un ejército de vendedores ambulantes y aboneros, por ello el llamado "comercio establecido" se empezó a quejar de una competencia abusiva. Planteado así no hubiese tenido mayor relevancia, porque la competencia no es delito. Pero poco a poco se filtraron en la prensa notas que hacían alusión a los judíos que quitaban el trabajo a los mexicanos, que vendían prendas de dudosa calidad, que abusaban de la hospitalidad. Fue, lo recuerdo bien, una señal de alarma. Integramos comisiones y visitamos a los directores de los diferentes diarios, para explicar nuestra posición. El asunto no pasó a mayores, afortunadamente. Pero no se me olvida luego de veinte años.

Me dolía, sobre todo, el tratamiento de forasteros que se pretendía darnos. Como si fuésemos un cuerpo extraño incrustado en México. Mire, no fuimos como los braceros mexicanos que cruzan la frontera en busca de un mejor empleo. Ellos desean ir de paso, trabajar, ganar dinero, ayudar a sus familias, y regresar. Saben cuál es su tierra y tienen claro, por lo menos en la esperanza, su destino. Se trata de un paréntesis que debe servir para reiniciar la vida desde una mejor plataforma. Su viaje, como proyecto, tiene ida y vuelta. El nuestro fue una fuga hacia la esperanza. No quemamos nuestras naves, porque no había naves qué quemar. Era una apuesta al futuro sin boleto de regreso posible. Y debo decirle que no me arrepiento en lo más mínimo.

Somos mexicanos por ley; y conste que soy de los que no entienden a los que no conceden mayor importancia a las leyes. Por una ley muchos de nosotros no encontraron lugar en los Estados Unidos y se quedaron en México, por una ley se bloqueaba entonces nuestro acceso a las universidades, por una ley cambiábamos de repente de nacionalidad. Las leyes son tan importantes que otros quedaron alucinados con ellas. Recuerdo que los rebeldes de mi pueblo clamaban por la igualdad de trato de las leyes y creían que con eso se acabarían los problemas de los judíos. Ingenuidad atroz, porque si bien las leyes son una especie de cinturón que intenta impedir que lo peor de los hombre se expanda sin medida, no pueden suprimir lo que es connatural a los hombres, sus profundas diferencias.

A esas alturas, habíamos llegado ya, como recordará, a un acuerdo: archivar su proyecto original. Si ella aún deseaba realizar su trabajo sobre las peculiaridades de los judíos mexicanos o los mexicanos judíos, lo mejor que podía hacer, le había dicho en una ocasión, era consultar una enciclopedia. Ahí se encuentra el conocimiento congelado, es una especie de morgue de la sabiduría. Y en México tenemos, de la A a la Z, una enciclopedia judía. Desde Aarón, el hermano mayor de Moisés, hasta Stefan Zweig, el escritor vienés que volvió al judaísmo no por voluntad propia sino obligado por la barbarie nazi. Fichas —ahora sí— de historia, religión, literatura, biografías, economía, filosofía, movimientos políticos, dan fe, a lo largo de diez tomos, de un sumario filtrado por los temas y los conocimientos que han logrado reunir los judíos mexicanos o por lo menos su crema y nata. A ellos debió acudir nuestra amiguita, no a mí.

Quizá seamos apenas unas veinte mil personas, le decía, pero vea la obra que hicieron Babani y Weinfeld desde México. Es como si quisieran meter en un gran jarro todo lo que usted quiere conocer. Son libros que desbordan pasión por saber, ordenar y explicar. Abra los tomos al azar. ¡Mire!, una pequeña biografía de Aarón ben Jacob de Karlín uno de los *tzadiks* del jasidismo. Dé vuelta a la página y encuentra la "adopción" entre los judíos, siga hojeando y aparecerán los sabios "amoraitas", la "arqueología" del periodo romano-bizantino. Permítase un vistazo al tomo que incluye México, en la L, literatos judíos en portugués, en húngaro o checo, la historia de los *marranos*, los judíos conversos españoles y la de su fe clandestina, o el repaso sobre el país que incluye una historia, un cuadro de la vida económica, social, comunal, las principales instituciones, el sionismo y la vida cultural.

Si quiere saber algo sobre los judíos en general consulte esa obra, y sobre los judíos en México, vaya inmediatamente al tomo siete. Así se puede ahorrar usted largas e inútiles conversaciones que no conducen a nada. El trabajo de Weinfeld y Babani es doblemente espectacular si pensamos no sólo en el contenido de la obra, sino en el esfuerzo que representó en comparación a su estrechísimo público. Creo que la *Enciclopedia Judáica Castellana* se convertirá, con el tiempo, en una de nuestras instituciones.

Puede transformarse en una especie de alimento para los cactus. Ya sabe, los cactus que crecen erguidos, firmes, como tubos espinosos, requieren de escasa agua, suelen verse sin compañía, solos, rodeados exclusivamente de sus semejantes, y sin embargo, dan la impresión de ser fuertes, imbatibles, poderosos, se nutren de poco, pero de lo fundamental.

7

En la enciclopedia podrá encontrar toda la información valiosa que usted quiera. Ahí se enterará lo mismo de la historia y significado de *purim*, fiesta donde celebramos la salvación de los judíos de Persia, que de la fundación del Banco Mercantil de México. El Banco Mercantil, sabe usted, lo fundamos nosotros. Bueno, no yo, pero sí un grupo de mis paisanos. Con un capital incipiente, transformando una expansiva Caja de Préstamos, el Banco creció en forma sostenida. Ahí coloco mis muchos o pocos ahorros. Les tengo confianza y me siento orgulloso que un grupo de judíos haya construido una institución tan respetada. Ya no recuerdo cuándo fue la primera vez que tuve una chequera, pero sí cómo me sentía. Porque sólo la gente importante puede sustituir el dinero por papel. De todas formas, hasta la fecha no me acostumbro a ellos y prefiero el dinero contante y sonante. Pero mis hijos insisten en la comodidad de la chequera. Bueno, en la enciclopedia se topará con la información necesaria sobre el Banco y sobre temas que no sería usted capaz de imaginar.

Lo que no encontrará son las sorpresas ininterrumpidas con las que cualquier hombre se cruza a lo largo de su vida, y más cuando ese tipo es un inmigrante. ¿Cómo contarle mi asombro ante los albures? La vacilada, el albur, los juegos de palabras, suelen ser estentóreos y directos, transparentes, aunque a veces son barrocos y mustios, y en otras, irrefrenados y brutales. Se juega y se agrede, se agrede y se juega, y la línea de demarcación nunca es clara. El mismo dicho, según quién, cómo y dónde lo diga, suele tener una intención y efectos diferentes. Como si las palabras en sí no tuviesen demasiada importancia y la situación lo fuera todo. La ironía y el insulto suelen ir de la mano y en ocasiones son una y la misma cosa. Tiendo a pensar que hay más agresividad que humor, más intención de herir que de reír, más mala leche que diversión. Pero ese humor ladino y en ocasiones maligno no deja de ser uno de los descubrimientos más coloridos de los inmigrantes. Ahí se encuentra quizá la coraza defensiva más sólidamente edificada de todo el país.

¿O cómo narrarle mi sorpresa ante la incubadora? Es el invento que más me ha impresionado. Que un niño pueda sobrevivir fuera de su madre es, quizá, relevarlo a El de sus responsabilidades. Una de mis nietas nació a los seis meses, toda entera cabía en mi mano, parecía mucho más cercana a la muerte que a la vida, y sin embargo, hoy es una niña hecha y derecha, y gracias a la incubadora. No se cómo le hacen, ni siquiera puedo afirmar que no se atente contra los designios de El, pero me consta, lo he visto y vivido. Se le puede ayudar en Su Tarea.

Acabó imitándome, y no lo hacía mal. Sus dotes de observadora, a pesar de todo, no eran despreciables y era capaz, no sin cierta gracia e ingenio, de repetir mis necias historias.

Apoyando las manos sobre la mesa, engolando la voz y mirándome a los ojos, pedía atención para una anécdota esclarecedora: "A un eminente y preclaro médico, *de cuyo nombre no quiero acordarme*, corrieron a informarle que uno de sus múltiples pacientes-impacientes había decidido no asistir más a su consulta, porque había llegado a la conclusión de que resultaba más práctico y efectivo leer directamente, sin intermediario, los libros de medicina. El ilustre y apacible médico no se inmutó siquiera, cruzó los brazos sobre el pecho, como lo hacen la mayoría de los autosuficientes, y solamente dijo a los chismosos: —El impaciente paciente hace algo muy peligroso, puede morir de una errata".

Imprimía a las imitaciones una gracia peculiar que hacía que la copia resultara superior al original. Tenía esa capacidad de ironía y ambigüedad que hace de algunas reproducciones obras más elocuentes que los tristes modelos.

Era capaz de engrosar la voz, expandir los hombros y en tono de reprimenda pontificar: "Pues le voy a decir algo. Escuche bien: Pude haberme quedado en Cuba pero el boleto me autorizaba a llegar hasta Veracruz. Y como México tenía frontera con los Estados Unidos sería más fácil el tránsito. En La Habana sólo estuve unas cuantas horas con un calor que derretía. Desde el mar, la ciudad parecía fresca, acogedora; toda blanca anunciaba un descanso al calor de los últimos días, pero al descender al muelle, sin ninguna sombrilla, sin ningún techo donde protegerse del sol, el bochorno hacía arder hasta la calle. Decenas de negros se acercaban a vender frutas y jugos, los gritos y el bullicio me confundían, y con mi mujer pegada a mis talones y mi hijo en brazos, recorrí las callejuelas cercanas al mar. Caminamos casi sin hablar, contemplando un espectáculo que nos pareció dantesco porque hombres, mujeres, niños y viejos, se paseaban casi desnudos ante nosotros. La hoguera que era aquello, más la cadencia que todo mundo imprimía a sus movimientos, daba la impresión de un mundo infernal: caluroso, radiante y sensual".

Era claro, por lo menos para mí, que ella podría contar mi historia con mucho mayor coherencia y sabor que el torpe cuentista que tiene usted enfrente.

9

Nos encontrábamos en un callejón sin salida. Intentando ayudarla a salir del laberinto se me ocurrió hacerle una propuesta: que escribiera ella, como si fuera yo, un relato en primera persona del singular, asumiendo mis incoherencias. De tal suerte, el narrador podía hablar con una tercera persona imaginaria tanto de él como de su entrevistadora. De esa forma, el texto podría fluir por donde quisiera y, por ejemplo, arrancar con una frase circunstancial: "Ese día caminaba tranquilamente pensando en la corbata del señor presidente".

Los bocetos de un vendedor ambulante, de un emigrante forzado por las circunstancias, del hombre de la tlapalería, del niño del *jeder*, del Ruso en Veracruz, del glotón sin medida, del narrador de *bobe maintzes*, del bebedor de vino, del viajero incansable, no resultaban más que los fragmentos rotos de una vida. Del torrente de palabras no quedaba siquiera una moraleja ni una conseja ni una pista para armar el rompecabezas ni una clave para descifrar el sentido de los acontecimientos. Ante nosotros aparecían, en el mejor de los casos, débiles retazos, recuerdos condenados a desaparecer junto conmigo, suspiros de la memoria... No obstante, la memoria es el lazo fundamental de la vida, el puente entre las personas, el recinto de las experiencias que ilumina el presente.

Ahora que lo pienso, quizá una de las vetas más importantes de la vida sea el sello que dejan las historias que uno escucha. Se trata de una influencia que se va sedimentando poco a poco, en forma lenta y pausada, y que deja una marca profunda. Quizá no seamos más que las historias que hemos escuchado.

Las ausencias presentes

se terminó de imprimir en
septiembre de 1992 en los talleres de
Multidiseño Gráfico, S.A.
La edición consta de 1,000 ejemplares
más sobrantes para reposición.